アートがわかると世の中が見えてくる

前﨑信也

IBCパブリッシング

アートがわかると世の中が見えてくる　目次

はじめに　美術がわかるということは感じることではない……9

第1章　美術は誰のものか……14

資産としての美術……17

美術品が集まる場所……20

仏教と美術……24

エリートが集まる場所に美術は集まる……26

アーティストは作品を誰に売るべきか……29

第2章　作られた日本美術史……34

江戸時代の外国とは……37

欧米との違いを思い知る……40
日本の芸術とは何か……47
WE LOVED CHINA……52
日本の芸術は何のためにあるのか?……58
日本美術を捜索せよ……61
日本独自の芸術は日本人には見つけられない……65
恥ずかしがり屋の日本人……69
神と巫女と日本人……73
第3章 美術を支える科学技術とエリート……80
アートと科学技術の関係……80
印象派……82
やきもの……86
補助金という延命薬……89
エリートな男性がいなくなれば文化は壊れる……93

第4章　日本文化としてのお茶の話……98
抹茶と煎茶の関係……98
煎茶のひろがり……102
学んでもお金を儲けても変わらない世の中……106
煎茶大流行……111
茶道の復活とお金持ちの話……116

第5章　美術館が建った理由……123
美術品を一般人向けに公開する……123
資産家たちの美術コレクション……127
戦争と戦後の税制が美術を所有する人を苦しめる……129
そして美術館が建つ……131
茶道が儀式になった時……134
お茶の次……138
そして日本美術を買う次世代エリートがいなくなった……140

第6章　一般人に厳しい美術館・博物館……143
展覧会を難しくする学芸員のキャリアパス問題……147
日本美術作品のタイトルがわからない……150
一般人に理解させることに意味はなかった……154
美術品の名前、新しい動き……159
何もない、見ればある……161
そこにないものを想像させる仕組み……165
第7章　美術の見方……168
「平等」は日本の芸術の敵……171
日本の美術品は安すぎる……176
美術の見方……184
アートを買うことの意味……188
アートはどこで買うべきか……191
作家から直接手に入れる……197

おわりに　美術がわかると世界がわかる……200
主要参考文献……204
あとがき……207

編集協力　福田光一
装　　幀　斉藤啓（ブッダプロダクションズ）

はじめに

美術がわかるということは感じることではない

「私には感性がないので美術のことが全然わからないんです。」

新学期、最初の授業を受けた学生からよく聞くコメントです。そこでいつも思うのは、「この世の中でどのくらいの人が美術をわかっているのか」ということです。

私も学生時代には、ちょっと格好をつけようと当時お付き合いしていた女性と美術館に行き、わかったようなふりをして国宝の仏像（図1）や、ルノワールのぼやけた女性の絵（図2）や、キャンバスの上に絵の具が塗りたくられただけの名画を眺めた経験があります。でも、それのどこがよいのかはさっぱりわかりませんでした。

作品の近くに置いてある一〇行くらいの解説文も読んでみるのですが、やっぱりわかりません。なぜなら、その解説は私の知っている言葉を使っていないので、書かれている日本語自体が理解できなかったからです。

「美術が専門」と言えるような立場になった今。私が学生だった二〇年以上前と比べると、美術館や博物館の解説はかなりわかりやすくなりました。でも、若者に聞くとやはりまだ難解なようです。そして多くの日本人は、かつての私がそうだったように、「わからない」ことを自分の「感性」の不足であると考えます。「感性を持って生まれさえしていればわかる。わからないのは自分のDNAが悪いに違いない」と思い込まされている方が少なくないようです。

美術の見方を教える時に必要なのは「美術で感動すること」と「美術を理解すること」は違う、ということを伝えることです。たとえば二歳の息子が書いた私の似顔絵に私は感動しますます。でも、その感情を産むものは、その絵画の上手い下手ではありません。「こんな絵を描けるまでになったのか、あんな小さかった我が子が」という気持ちで泣けます。結構いい感じで泣けます。この時、私の感動は、専門家が美術の優劣をつける時の基準とは関係のないところにあります。

もうひとつ例を挙げるとすれば、ある方から「あの学芸員さんは美術を専門にしているの

図１　《薬師如来坐像》（国宝）平安時代、奈良国立博物館蔵
撮影：佐々木香輔

図２　ルノワール《横たわる浴女》1906年、国立西洋美術館蔵
Photo: NMW/DNPartcom

に、あんなセンスの悪い服装をして何とも思わないのでしょうか」と尋ねられたことがあります。私見ですが、美術にかかわる人にはおしゃれな、もしくはこだわった服装をする人が多いです。しかし、確かにその方のその日のネクタイのチョイスは何とも表現しがたいものでした。美術が理解できるということと、センスのよい服を選ぶということは、別の次元の話だということがこの話からわかるのではないでしょうか。

少なくとも美術を理解することさえできれば、それを見ることは今よりは楽しくなります。その楽しさを皆さんに味わっていただくために、私はこの本でしたいことがあります。この日本という国において、「美術」や「芸術」、それを含む「文化」と呼ばれるものは誰のために、何のために存在してきたのかについてお話ししたいのです。

「文化」が何のためにあるのかがわかれば、少なくとも美術館で有名な絵が理解できなかったとしても、みずからの「感性の不足」のせいにしなくて済みます。さらに美術の存在理由を理解できれば、それが日本で美術や芸術と呼ばれている世界を救うために行動をおこすきっかけにもなると信じています。繰り返しますが、まず覚えておいていただきたいのは「生まれ持った感性は美術を理解するためには必要ない」ということです。

もちろん感性が役立つこともあります。それぞれがよいと思う美術を選ぶ時には使ってください。美術館でふと目にとまった作品が、有名な作家の作品なら自分の感性を誇ればいいですし、そうではない作家の作品なら自分は特別な感性の持ち主だと思えばいい。絵画の古さや、技術の優劣や、作家の知名度とは関係なく、感性のおもむくままに「私はこれが好き」でいいのです。それは事実ですし、誰も文句は言えません。

一方、美術を感じるのではなく、理解するために必要なことは、それが評価されるようになった歴史を学ぶことです。しかし、本屋さんや図書館で「美術史」と名付けられた本を手に取ったところで、私がこの本で伝えたいことは学べません。どの本にも作品についての詳細な情報は書かれていますが、皆さんが求めていることは大抵書かれていないからです。それらの本の多くは、美術を理解している人しかわからない難解な言葉を使います。そしてまた「わからない」が繰り返される。こうして皆さんの心に、美術に対する「劣等感」が育つのです。

この本ではできるだけ簡単に日本で美術と呼ばれるものが、どういうわけでこんな風になっているのか、なってきたのかについてお伝えします。「驚くほど美術がわかるようになる」とは言えませんが、「これまでと違った美術の見方ができるようになる」ことはお約束します。

第1章

美術は誰のものか

ではははじめましょう。最初の問いは「美術は誰のものか」です。皆さんが美術館に行って鑑賞をする美術品の大半は誰のために作られたものなのでしょうか。

答えは簡単。そうです、お金持ちです。もしくはお金をたくさん持っている団体（その多くは宗教関係）も含まれるでしょう。今も昔も美術品とは高価なもの。だからそれはお金を持っている人のために作られたものがほとんどです。

お金持ちや、お金持ちの団体はなぜ美術品を買うのでしょうか。そこには彼らが高いお金を出して美術品を買う理由があるはずです。

「お金持ちが美術を買う理由を挙げてください」と大学で質問をすると、学生からまず出るのは「権力の象徴」という答えです。これは大正解です。テレビの時代劇を思い出してみましょう。大きな城の広間で、金色を背景にして松の大木が描かれた絵の前に偉そうに座る権力者（将軍や大名）をよく見ます。実物が見たければ、京都で一般公開されている二条城に行ってみましょう。だだっ広い部屋が金色の襖や壁で囲まれており、そこに松の木や色鮮やかな鳥や花が描かれている（図3）。高級な金箔をふんだんに使用し、日本一の絵師に描かせた巨大な絵画。その前に座り威厳を示す。つまり富と権力を誇示する。「あぁ、この人についていけば、私の人生バラ色！」と思わせて優秀な部下を従わせる。そういった目的のために美術は活用されてきました。

図3　《元離宮二条城 二の丸御殿 大広間》　photo: 元離宮二条城事務所

これは海外でも同じことが言えます。パリのヴェルサイユ宮殿、ロンドンのバッキンガム宮殿に一歩でも足を踏み入れれば、国主と国家の威厳をひけらかすための豪華な内装と美術品に眼を奪われることでしょう。金ぴかで、カラフルで、すべてが高級な空間にしてあります。「王様はやっぱり違う」のです。

しかし、他にも美術の使いみちはあります。言われてみれば確かにそうだけれど、普通の生活をしていては気づかない存在意義があるのです。

次の問いは、「美術は何のためにあるのか」。その答えは「大きな家を装飾する」ということです。お金をたくさん持った人の多くがすることは、大きな住まいを建てるということでしょう。足利義政の東山殿(銀閣のある慈照寺の前身)、織田信長の安土桃山城、明治天皇の明治宮殿など、いずれも広大な土地に家族だけでは持て余す広さの職場を兼ねた住まいでした。

さて、日本でそれだけ大きな建物となると、とてつもない数の襖《ふすま》が必要になります。気合を入れて建てる屋内を何の変哲もない白い襖にできるでしょうか。欧米であれば、相当な面積の壁を白いままに放置できるでしょうか。権力者は多くの重要な客をそこに招かなければなりません。そうなるとやはり、できるだけ見栄えのよい空間作りが必要になります。真っ白の襖、真っ白の壁ではまずいのです。

すると「お金はある。だから大工は日本一の人物を、襖の絵を描くのは有名な絵師に描かせたい」という流れになるのは当然のことです。休日に何でも売っていそうな大きな電器屋さんに行って「よくわからないので一番高い掃除機ください」と注文する小金持ちと考え方は同じですね。

玄関には、ちょっとした花をいけるための花瓶がほしい。座敷に床の間を作れば、そこに掛ける掛け軸を調達しなければなりません。いつも同じだとお金がないように見えますから、季節に合わせて飾りをかえる必要もあります。その他にもお正月や、五月に男の子の健やかな成長を願う端午や、七月に織姫と彦星を想う七夕といった節句も特別なしつらえをしなければなりません。こうして、大きな家を持つというのは、室内を飾るものが多数必要になるということなのです。

資産としての美術

このお話はまだ続きます。なぜお金持ちが美術を必要とするのか。次の理由は、美術品を「資産」として見ているからです。現代、お金の大半はデータになり、重さはなくなりました。実はこれは素晴らしいことです。かつてほとんどのお金は金や銀、そしてお札だった時代がありました。お金をたくさん持っているということは、相当な量の貴金属・紙幣をリアルな意味で所有しているということでした。何十億・何百億という額になると、金塊でも紙のお札でもかなりの重量とサイズになります。そんな資産をどうやって安全に保管し維持するか。この問題は大金を手にした人にとって切実な問題だったことを想像するのは難しくないでしょう。

そんな時、軽くて小さくて高価で、さらに家を飾ることのできるものとしての美術品はとても便利なものでもあったのです。二〇一七年十一月、レオナルド・ダ・ヴィンチもかかわった作品とされるキリストの肖像画《サルバトール・ムンディ（世界の救世主）》がその時の為替レートで約五〇〇億円で落札されました。

この落札者が何のためにこの作品を購入したのかはわかりません。しかし、たった四五センチ×六五センチの油絵がそれほどの額になるのです。五〇〇億円分の金や銀、お札がどの程度の量になるか、その持ち運びの大変さを想像すれば、この作品の資産としての効率のよさがわかるはずです（もちろん燃えたり、盗まれたりするとなくなってしまうので、管理には気を付けなければいけませんが）。

ダ・ヴィンチの作品は現存している数は決まっており、そのほとんどはすでに世界の有名美術館や博物館、キリスト教の教会などにあります。購入できるチャンスは一生に一度あるかないか。描かれているのもどこの誰かわからないおじさんではなくキリストですから宗教的な価値もあります。このような理由から値段も現状を維持し続け、贋作だと認定されない限りは大幅に下落することはないと言えるのです。

日本の歴史を見ても同じです。織田信長が日本中から有名な茶道具を集めて、功績のあった家臣に分け与えたという逸話を聞いたことがある人は少なくないでしょう。お抹茶を入れるための茶入《ちゃいれ》と呼ばれる陶器製の容器は手の中に納まるほどの大きさです（図4）。単純に比べられるものではないですが、日本人では作ることのできない、海外から輸入された珍しいモノには、小さな国と同じくらいの価値あるものもあったとされています。とんでもなく高価な美術品を褒美としてもらって嬉しくない人はいないですよね。

つまり、ここまでのお話をまとめると、美術とは「大きい家に住むお金持ちが、自分の富と権力を誇示するために家に飾るものであり、お金に困った時に換金できる、持ち運びに便利な資産」ということです。日本を例にお話ししましたが、海外の美術に関しても同じことが言えます。この視点を知ることが美術を理解するための最初の一歩です。

図4　《唐物肩衝茶入 銘 初花》（重要文化財）南宋、徳川記念財団蔵

美術品が集まる場所

権力者やお金持ちの家の他に、美術品が集まる場所とはどこでしょう。欧米の規模の大きな美術館に行くと、展示は宗教絵画や宗教彫刻からはじまります。十字架にはりつけにされたキリストや、青い服を着たマリア、そのマリアに抱かれたキリストなどがテーマの作品が延々と続きます（図5）。それらはかつてキリスト教の大聖堂や教会にあったもので、信仰の対象として生み出されたものです。

なぜこれらが美術館に飾られているのかと言えば、有名な画家が一所懸命描いた絵画や彫刻の多くが宗教的なものだからです。ではなぜ「宗教的な場所に美術が集まるのか」についてお話しします。

この問題は、大きな宗教教団を維持するには何が必要なのかを考えると見えてきます。すべてとは言いませんが、世界中の宗教の多くは、経済的に成り立つために信者の寄進やお布施に頼っています。教義が広まれば、信者の数は増え、寄付の額も増えて、教団を継続することが可能になります。つまり、信仰を広めて信者を増やすことでより多くの人々を救うことが基本ですが、同時に信者から寄付を集めることは教団を維持するために不可欠なことと

図5　ラファエロ・サンティ《モンドの磔刑図》
1502–03年、ナショナル・ギャラリー（ロンドン）蔵
photo: imagenavi

なります。

宗教では「信じれば現在の生活が幸せになる」、もしくは「信じれば死後にとても幸せな場所に行ける」というようなことを唱えるものが多いです。先にお伝えしておきますが、私はそれを否定する気はありません。すべての宗教が提唱していることは、信じている方々にとって真実ですし、その通りなのです。ただここでお話ししたいことは、「どうやって多くの人に信じてもらうのか」という目的のための方法論についてです。

現代であれば、最新のツールを使ったさまざまな方法があるでしょう。VR(仮想現実)やAR(拡張現実)といった技術はうまく使えば効果が高そうです。しかし、テレビやラジオ、インターネットのなかった時代には、絵画や彫刻が宗教の普及にとても役に立つものだったのです。

ある宗教の聖堂に一歩足を踏み入れる。その場所が驚くほど豪華で、有名な画家や彫刻家の作品がずらりと並んでいる。窓には外からの光を浴びて輝くステンドグラスがはめられ、その宗教の創始者が起こした数々の奇跡が、とてもリアルに表現されている。優秀な画家や彫刻家の表現力、そして彼らの名声は人々を魅了する。常識を超えた力があるという教えを信じるために、ヴィジュアルを使った仕掛けは役に立ちます。

私の知る限り、どこかで誰かが「美術品は宗教の普及に効果的」といったわけではありません。しかし、歴史的にみると宗教教団は有名作家に作品を依頼しがちです。有力な信者たちも、その教団のため、そして自分や家族の幸せのために、大金をはたいて、より価値のある絵画や彫刻を彼らの聖堂に納めようとします。たとえばキリスト教の絵画には、救世主であるキリストや、その母であるマリアが中心に描かれ、その脇にその絵を注文した王様や裕福な人が描かれているものがあります。生前に善い行いを積んでおけば、死後に恐ろしい世界に行かなくてもいいと教えられるからです（図6）。

図6　アルブレヒト・デューラー《茨の冠の祝祭》1506年、ナショナル・ギャラリー（プラハ）蔵　photo: Artothek/アフロ

仏教と美術

美術は宗教施設に集まるという考え方ですが、これは日本にも当てはまります。日本美術史に登場する作品の多くは誰が持っているのかご存知でしょうか。美術館や博物館が所有する作品をのぞくと、そのほとんどは仏教寺院、つまりお寺が所有しています（実は神社には仏教寺院に比べると「美術品」が少ないのですが、それについてはまた他の機会に述べたいと思います）。

飛鳥時代や奈良時代の美術品は、法隆寺などの奈良の寺院や正倉院にあるものがほとんどです。平安時代から鎌倉時代にかけての美術品の多くは、最澄が興した比叡山延暦寺を本山とする天台宗と、空海が興した高野山を本山とする真言宗の寺院が所有しています。そして室町時代から江戸時代くらいまでの日本美術の名品の多くは、臨済宗の禅寺が所有するものが多いです。逆に、信者数から見れば日本を代表する宗派と言える、浄土宗や浄土真宗といったお寺には、臨済宗ほどには美術の名品が所有されていません。さて、これは一体なぜでしょう。

臨済宗の禅寺といわれて、すぐにどこかわかる人は少ないと思いますのでヒントです。

「京都を訪れた観光客が行くお寺はどこですか？」

こう聞いて思い浮かぶ清水寺以外のお寺と言えば、だいたいは臨済宗のお寺です。鹿苑寺（金閣寺）、慈照寺（銀閣寺）はすぐに出るでしょう。他にも枯山水で有名な龍安寺、紅葉で有名な南禅寺や東福寺、一休さんや茶道で有名な大徳寺、嵐山に大庭園をもつ天龍寺、俵屋宗達の《風神雷神図》がある建仁寺、最近注目の伊藤若冲《いとうじゃくちゅう》の絵画がたくさんある相国寺など挙げはじめたらきりがありません。

なぜ臨済宗のお寺は観光スポットとして有名なところが多いのか。それは、美しい庭園や、有名絵師によって描かれた襖絵など「鑑賞できるもの」がたくさんあるからです。なぜ、そうなっているのかといえば、それは臨済宗の禅寺が鎌倉・室町時代以降、この国を動かしていた権力者やお金持ちと密接につながっていたからです。

日本では戦後に政治と宗教が分離され、現代においては原則的に政治に宗教はかかわりません。これを政教分離原則といいます。そのため二十一世紀に生きる日本人には想像するのが少し難しいのですが、かつての日本においては政治と宗教のつながりはとても濃いものでした。臨済宗の大きな寺院は鎌倉と京都にたくさんあります。それは鎌倉時代と室町時代に、幕府、つまり国がこれらの寺院のトップを選んで仏教と僧侶をコントロールしようとしたからです。なぜ、国がお寺を支配しようとするのかといえば、そのわけは当時の臨済宗の禅寺が果たしていた役割にあります。

エリートが集まる場所に美術は集まる

今の時代、日本という国を上手にコントロールしようとするには何が大切でしょうか。やはり選挙の得票数でしょうか。それとも、世界有数のお金持ちになることでしょうか。メディアを上手に使って国の運営がうまくいっているように国民に信じさせることでしょうか。

いずれにせよ、それを実現するためには有効な情報を集めて、分析し、活用する能力を持った人材が必要です。具体的に言えば、政治家、有力政治家の補佐、官僚、大企業の経営者といった政財界で力を持った人々を手中に収めることができれば国は支配できます。機能しているかいないかは置いておいて、現代にはそういった仕事は「優秀」と信じられている有名大学の出身者が主に担当しています。

鎌倉時代や室町時代にこのような仕事ができる人材はどこにいたのか。それが仏教寺院だったのです。中でも臨済宗の有力寺院は武家の社会、つまり、政治や権力とつながっていました。これらの寺院を創設したのは日本に来た中国人の僧侶や、中国への留学経験がある日本人の僧侶たちです。仏教を伝えることはもとより、最新の文物や知識を学び、中国とのつながりをもっていました。彼らから学んだ僧たちも、そういった知識を学んだ教養人であったということです。漢字の読み書きができることは当然のこと。中国語が話せて外交ができる人材、文芸に通じた人材など、当時の日本を代表する知識人たちが集まる場所が臨済宗を中心とした寺院だったのです。

将軍から許可をもらい大きな寺を建設した彼らは、国を支配する権力者にふさわしい場所を創りあげていきます。美しい庭を作り、珍しい外国産の製品を飾り、非日常の空間を生み出すことが、彼らの教えの信ぴょう性を高めることに役立ちます。さらに、将軍の資産を管理するという仕事も僧侶の仕事となります。

金閣で有名な鹿苑寺が足利義満の、銀閣で有名な慈照寺が足利義政の邸宅だったことは歴史の授業でおそらく学びましたよね。ではなぜ将軍の家が今は臨済宗相国寺派のお寺である鹿苑寺・慈照寺になっているのでしょうか。これは将軍の死後、将軍の資産だったものを相国寺が管理してきたからです。それだけ、当時の政治と臨済宗の寺院が近い関係にあったということもできます。

足利将軍家が日本の権力者ではなくなったあとも、彼らの手元にあった美術品の一部は当時のままにお寺で保管されています。こうして臨済宗のお寺は「日本随一の権力者」兼「お金持ち」とのつながりが強かったため、有名な絵師に描かせた襖絵や、中国から輸入した高級な工芸品などをたくさん所有することとなりました。

ここで少し視点を変えて、支配者層ではなく主に一般の人々が信仰した仏教、たとえば浄土宗や浄土真宗、日蓮宗といった宗派はどうなのか、少し触れたいと思います。もちろん、お寺の規模や歴史によって差はあるので、白黒はっきりする話ではありません。有名な美術品を所有している寺院もないわけではありません。しかし、これらの一般人向けの仏教は、信者一人一人に期待できるお布施の額は限られています。結果として、教団を持続させるためには多くの信者が必要となります。少数のお金持ちを喜ばせる高級な美術品よりも、大勢の信者の心を一度に鷲摑みにするような「場所」を作る方が費用対効果は高くなると言えるでしょう。

例を挙げるとすると、京都の中心部にある西本願寺や東本願寺の講堂は、驚くほどに巨大で、一度に多くの人数を収容することができ、豪華な欄間の彫刻が金箔で飾られています。地方からはるばる参拝にきた信者たちがそこに入ると「あみださま(阿弥陀如来)は本当にいるのだ」と感じることができるということです。これはキリスト教の大聖堂がステンドグラスや大きな有名画家の絵画・彫刻で飾られているのと同じだと考えると納得がいきます。

「信者を獲得するために宗教団体がどのように美術品を利用・活用してきたか」。そんな風に言っているようにも見えるので、こういう話は美術史の専門家はしません。宗教史の先生や歴史の先生は美術のことなんて大切なことではないと考えて、わざわざこういう風には説明してくれません。しかし、「日本の美術とは何か」、「どういう理由で誰のために作られたものであるのか」を理解するためには必ず必要な知識です。日本美術を博物館や美術館で見る作品は、かつて仏教寺院が所有していた品が少なくないのですから。

アーティストは作品を誰に売るべきか

ここまでは、美術品が誰のために作られて、どんなところに集まるかという話をしてきました。少し視点を変えて、芸術家が作品の売り先を選べるとするならば、誰に売ると効率がいいのかについて考えてみたいと思います。

事実として、王様のような支配者や、宗教団体が有名な美術作品を所有してきました。その一部はやがて美術館や博物館の持ち物となり、今では一般庶民である私たちも見ることができます。そういった作品を作る芸術家の気持ちになって考えると、どんな人に作品を持ってほしいのか、どんな場所に作品を置きたいのか、が見えてきます。

「すべての人類が」とは言いませんが、短い人生しか与えられていない人間の多くは、後世に自分が存在した何らかの証を遺したいと考えがちです。私も、自分の子供や孫がこの本を読んでくれればうれしいですし、これまで多くの人から教わり、身に着けてきた知識を社会に還元したいと思います。同じように考える方は少なくないことでしょう。

芸術家として歴史に名を残すために一番効率のよい手段は、権威があり、大勢の人が目にすることができる場所に作品を設置することです。そうすれば、そこにあるだけで「よい作品」とみなされ、実際に見た人が自分の素晴らしさを勝手に広めてくれます。権力者が自分の力をひけらかすために用意した自慢の部屋や、有名な宗教施設の大広間に設置されることは、成功したい芸術家にとって、高く作品が売れること以上に大切なことになります。有名になればなるほど、購入したいというお客様は増えるものなのですから。

もうひとつ、芸術家が考えるべきことは、できるだけ安全に、よい状態で、未来に作品を遺すことです。「書聖」と呼ばれ歴史上最も有名な書道家に王羲之《おうぎし》がいます。一七〇〇年前の中国の人です。残念ながら、彼が書いた書は現存していないとされています。あるのは彼の書を正確に写したとされるコピーだけ(図7)。彼の書を愛し蒐集した中国の皇帝が一緒にお墓に持っていってしまったり、戦争で燃えたりして、すべて失われてしまったと言われています。この事実からわかることは、いかに評価された作品でも、何百年・何千年と安全に維持・保存していくのは簡単ではないということです。

どちらかといえば、社会の変化に弱く、いつ作品を売ってしまうかわからない権力者や個人のお金持ちよりも、宗教団体の方が長く続きます。他の有力な宗教によって邪教とされたり、権力者に疎まれたりして破壊されない限り、普通は宗教関係の文物は壊されにくいものです。「目に見えない力」は怖いですからね。つまり、かつての芸術家の目標のひとつに、宗教施設に作品を納めることがあったと考えることができます。

室町時代に長谷川等伯という絵師がいます。大徳寺の三玄院の襖に絵を描きたいと住職に懇願しましたが認められませんでした。しかし、その住職が不在の時に勝手

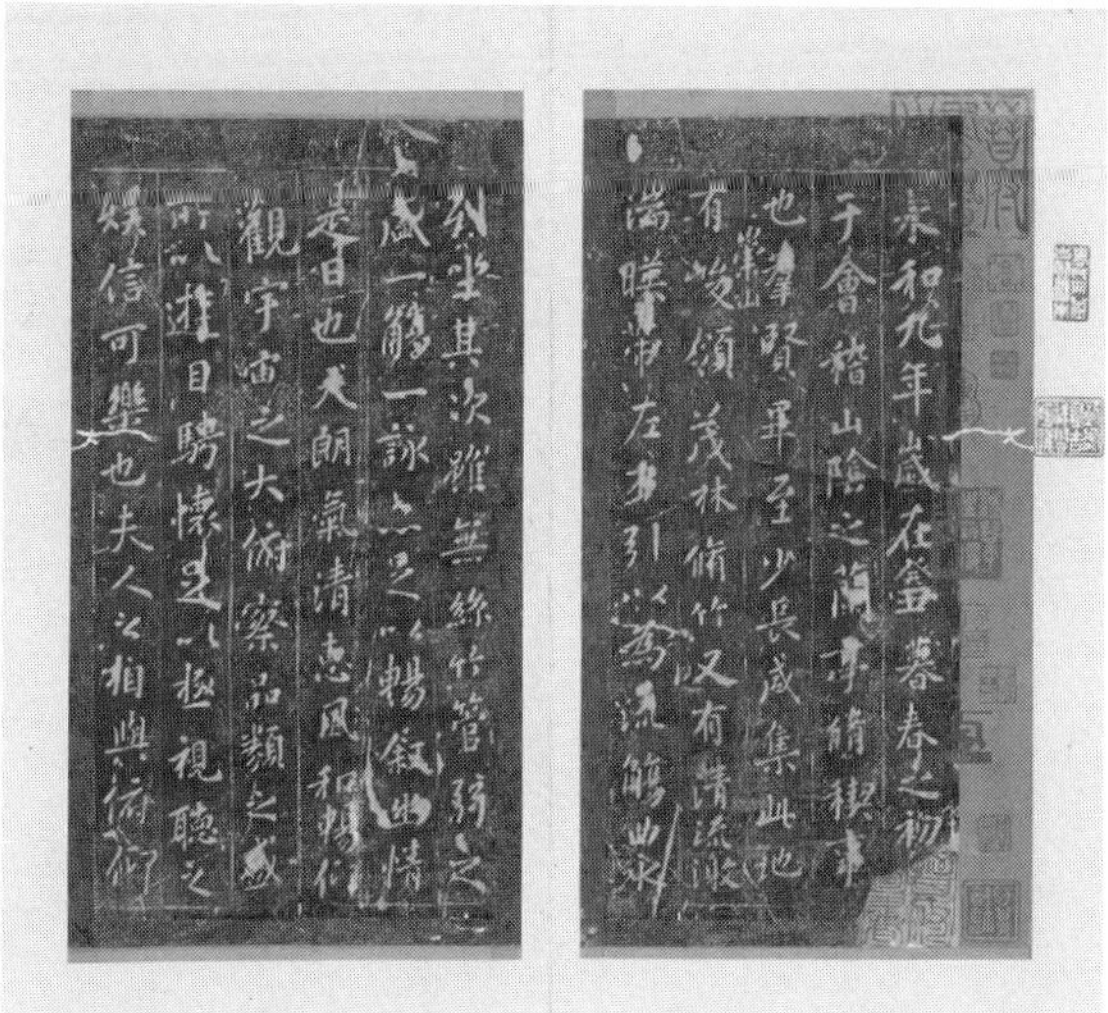

図7　王羲之《游丞相蔵玉泉本蘭亭神品(宋拓)》
原跡＝東晋時代・353年、京都国立博物館蔵

に上がりこんで、襖に山水図を描いたというのです。この事件も、有名寺院の襖絵を描くとの意味を考えると、想像が膨らみます。有名になりたかったのか、作品を後世に安全に残すためか。純粋な仏教への帰依の心から……ということはなさそうですね。

さて、日本において宗教の力は少しずつ弱まっています。宗教的な建物を訪れる信者もかつてほどの数ではなくなりました。そこで、宗教施設の代わりとして、現代の芸術家が作品の展示場所として目指すのは美術館・博物館ということになっています。皆さんのように「美術のことがわからない」と信じている迷える子羊たちが、美術を学びたいと思って集まってくる場所だからです。

現代において有名美術館・博物館に作品を並べることできれば、お客さんはその作家を「専門家に認められた芸術家」だと認識してくれます。芸術家はそう考えて、生きているうちに大きな美術館で自分だけの個展をすることを目指します。それが、芸術家として成功し、安全に自分の作品を未来に遺し、多くの人に知ってもらう最上の方法だからです。さらに、有名作家になれば経済的な安定も約束されます。

これは芸術家だけのお話ではなく、その周囲の人々にも関係があります。作品を販売している美術商にとっては売り上げの増加を見込めます。集めているコレクターにとっては資産価値が高まるだけではなく、「自分には見る目がある」と自慢できるようになります。こうして、現代においてはお金持ちに認められて作品を買ってもらうことと同様に、美術館・博物館に並ぶ作品を作ることが、芸術家にとって作品を未来に伝える道になるということなのです。

第2章

作られた日本美術史

美術には権力者・お金持ち・宗教団体がつきもの。ここまでできるだけわかりやすくそうなる理由を説明してきたつもりです。美術や歴史が専門の方が読まれても、「まあ確かにそうですね」と言っていただけるくらいには間違っていないと思います。私は偉い先生方があえて書かないことを書いてみただけです。

さて、日本美術の多くがどういった背景で生まれるかの基本がわかったと思いますので、ここからは、現代日本において「日本美術とは何のためにあるのか」について考えてみます。

世界的にみると金額が大きいとは言えませんが、日本政府は国民から集めた税金を、美術品も含まれる「文化財」に投じています。文化財にはお祭りや落語・歌舞伎のように形がないものと、建物や絵画、仏像、工芸品といった形のあるものがあります。いずれも「大切な日本の文化・芸術」とされており、その保護のために我々の税金が投入されています。でもどれだけの人がその「大切さ」の意味を意識しているでしょうか。

学生に「文化財は未来に遺すべきと思いますか」と聞くと、大半の学生はYESと答えます。では「自分は文化財を遺すために何かしていますか」と聞くと、大半の学生はNOと答えます。「なぜ大切なのに何もしないのですか」と聞くと、イメージしている対象によって多様な意見がありますが、「興味がない」「高価すぎる」「何がよいのかよくわからない」というのが目立つ答えです。

「私たちが何もしなくても国が保護しているから人丈夫」という学生もいます。京都で教えているので、「文化を守っている京都人は上から目線だから嫌い」というのがありました。少しだけわかる気がします。以上をまとめると「文化財は大切だけれど私とは関係ない」ということのようです。もちろん学生には茶道や華道等の経験があり、文化財や伝統文化が大変な状況にあるということはわかっている者もいくらかはいますが、全体から言えば少数派です。

人が何かを解決・改善しようと重い腰を上げるためには、それをするだけの意欲・モチベーションが必要です。しかし、現在の教育では「文化財は大切」と記憶させていても「なぜ大切か」については教えていません。なんとなく「なくなってしまうともったいない気がする」

くらいの気持ちが蔓延しています。ですから、積極的に伝統や文化といったものを守ろうという人は増えません。彼らの目には時代遅れにしか映らず、自分の生活と直接関係のないことを、守らなければならない意味がわからないのです。

「日本の美術が何のために存在するのか」という問題にはさまざまな答えがありそうですが「日本美術とその歴史である日本美術史はいつ何のために作られたのか」という問いにはある程度明確な答えがあります。日本の政府が歴史上はじめて『日本美術史』という名前をつけた本を出したのは、一九〇〇年のパリ万国博覧会のために出版されたHistoire de l'art du Japon（直訳：日本美術史、元の日本語原稿のタイトルは『稿本日本帝國美術略史』）という本だとされています。

そうです、我々の美術の歴史は最初にフランス語で出版されたのです。それもたった一二〇年前のことです。その目的は、世界中の有力者が集まるパリ万国博覧会で世界に日本の美術を紹介するため。そもそも最初の日本美術史とは日本人が読むために書かれたものではなかったのです。

なぜ、そういうことが起こるのでしょう。それは当時の日本が置かれていた状況にあります。広いアジアで欧米諸国からの植民地化を逃れた数少ない国という立場です。ですから、日本は開国以降、軍備の増強はもちろんですが、簡単に侵略を許さないように経済的な発展を進めました。さらに独自の美術や文化を所持している「珍しい」民族であるということを発信することで国としての生き残りを目指したのです。ですから、この日本美術史は日本の文化外交の一部でした。この点は少しややこしいので詳しくはここから説明します。

江戸時代の外国とは

日本政府が公認した最初の日本美術史が作られたのは明治時代の後半、今から一二〇年くらい前のことです。明治時代の前の江戸時代には日本（つまり江戸の徳川幕府）は政策として外国とのやり取りを厳しくコントロールしていました。一般的に「鎖国」と言われるものです。

その間、美術や美術史的なものが日本になかったわけではありません。ご存知の通り、部屋を飾る美しい絵や精巧な工芸品はもちろん存在しました。しかし基本として、日本人は日常において海の外を意識することはなく、自分たちが作っているモノが世界的にどのようなレベルにあるかを知ることはありませんでした。まさに「井の中の蛙大海を知らず」ですね。

そうそう「江戸時代の日本人にとっての外国とはどこか」というお話があります。大学生に聞くとオランダという答えが多いです。長崎の出島での貿易を許されていましたからね。

他にも長崎に多くの中国人がいたことを知っている学生もいます。でも実情はといえば、当時のほとんどの日本人にとって、外国とは海のはるか彼方にある国々のことではなく隣の藩のことだったという考え方があります。

なぜなら歴史上、日本の政治の仕組みとは常にUnited Kingdom of Japanだからです。各地域を治める大名が、国を統治する天皇や将軍に従う。実際は多くの小さな国の集まりですが、どの時代も天皇がいたことで、ひとつのまとまった国ということになっています。歴史好きの方が大好きな「戦国時代」は、国内で大名たちが一番を目指して殺し合いを繰り返しているのに、天皇が存在したという理由で、日本という国家は途絶えずに続いていると考えるのです。

江戸時代も同じです。二五〇以上もある藩を治めるのは各地の大名。国をまとめるルールを作るのが徳川将軍家であり幕府ですが、京都には常に天皇がいました。外交が限られていたため、交易が許された長崎にいたりしない限り、日々の生活で海外の国や人を意識することはありません。そのため当時の日本人からすると、我が国とは自分が生まれ育った藩や地域のことであり、外国とは日本国内の他の藩のことである場合がほとんどだったのです。

四八都道府県出身の芸能人を集めて、ご当地グルメや特別な習慣について自慢をし合うテレビ番組がありますね。都道府県で分けて比べるのはとてもよいアイデアです。なぜなら、現在の都道府県は、「廃藩置県」で藩をいくつか集めて作られたものが多いからです。同じ藩の人は、同じ大名に統治され、同じ風習や文化を共有する人が住む場所となっていました。それを今の都道府県が引き継いでいる。海外という選択肢がないので、隣の藩は違う文化圏の人々が住む外国とみなされます。特に、隣り合っているのに同じ藩にならなかったわけですから、隣り合う藩は競争心が強いことが多い。結果として、出身都道府県を背負って出演している芸能人の方々の間にわかりやすい対抗心が生まれる。とてもよくできた仕組みです。

このような理由で経済的にも文化的にも日本人の競争相手、いわゆるライバルは近隣の藩になります。江戸時代の日本は、海の外から隔離され、この小さな島国で独自の基準で争っていたのです。

この状況を一変させたのがペリー艦隊です（図8）。

図8　《ペリー提督の指揮下で東に向かう艦隊》1853年、著者蔵

日本が開港すると、外国は隣の藩ではなく海外の国に変わりました。都会では欧米人を目にする機会が増え、中国とは異なる彼らの文化に触れ、日本は海の向こう側の国とどのくらい違うのかということに徐々に気づきはじめたのです。

欧米との違いを思い知る

最初の日本美術史がまずフランス語で出版された理由は「日本は独自の文化を所有している」ということを外国人に発信するためでした。なぜそうしなければならなかったかといえば、それは日本が欧米のほとんどの人は聞いたこともない、世界の東の端のちっぽけな島国だったからです。

現代の日本人は、学校でこの国が世界の中心のひとつであるかのような教育を受けます。では、世界の歴史上で日本が重要な場所として登場するのはいつのことでしょう。縄文時代や弥生時代ではもちろんありません。日本人が土器を作り、木造の簡素な建物に住んでいたころ、中国ではすでに金属を精製する技術や、陶器に釉薬をかける技術があり、万里の長城まで造っています。日本文化の根源とも考えられている飛鳥時代や平安時代はどうでしょう。

美しい文学は生まれたかもしれませんが、世界からは全く知られていない存在です。

本当の意味で世界からこの国が注目されるのはいつかといえば、日露戦争に勝利し、ヨーロッパに戦争で勝利したアジアの国となったこと。そこから、国力を伸ばして国際連盟を脱退し、ナチスドイツの同盟国として戦争をしたこと。そして、アメリカから原子爆弾を落とされて敗北をした後、急速に復興し世界有数の経済大国になったこと。つまり、長い人類の歴史において、日本が海外デビューしたのはつい最近のことなのです。

とても幸運なことに、私たちは日本が数千年の歴史において、たった一度だけ世界的に認知され、少し評価された時代に生きています。数千年前から地球の東の端で地味に頑張り、初の世界デビューを果たし、そろそろ人気に陰りが出はじめてきたのが二〇〇〇年代の前半です。この二〇〇〇年くらい調子が悪かった中国がアジアの大国という「通常営業」を再開し、日本はいつもの立場に戻りつつあるとも言えるかもしれません。

しかし、私たちが学ぶ歴史を書いている人々や、その歴史にお墨付きを与えている人々は、日本が一番繁栄した時代に生まれて、この時代しか知らない人たちです。彼らが選んだ学校の教科書が私たちに伝えようとすることは、「いかに日本がちっぽけな国だったか」ではなく「いかに日本が成功をした国か」となりがちです。そのような教育を受けて、お金も溢れるほどあったバブル世代の人々は「やっぱり日本ってすごい」と信じ続けています。これが、世界の人々の日本に対する認識とのずれを大きくしています。

外国人が日本のすばらしさを讃えるテレビ番組を作り「Cool Japan機構」という自画自賛の名前をつけた団体が、「優れた日本の文化を、日本を愛する海外の人々に伝えてあげよう」としています。無条件に日本の文化は優れていると信じて、それを理解できない外国人を横目に「やっぱり日本人の感性は違う」なんて思ってしまう。ヨーロッパと中国の貿易ルートの途中という好立地にあるため、強い国から狙われ続けてきた歴史を持つ東南アジアの国々に対して、たった数十年間の経済の状況だけを基準に優越感をもつ。そういう人たちは、日本が他の国に比べて文化を保持しているように見える理由を考えません。

歴史上のほとんどの間、日本は世界の東の端にある島国で、その先には北極海と太平洋しかなかったのです。そのため本当の意味で日本を「欲しい」国なんて存在しませんでした。結果的に私たちは世界から何千年間も相手にされず放置されてきました。自分たちが取るに足らない存在だったおかげで、こうして存在できているのだと、客観的な視点で日本の歴史を学べばわかるはずです。

こんなことを書くと「なにを言うか！元寇があるじゃないか！」と怒る人がいそうですね。そうです歴史上で唯一、大陸からわざわざ波の高い日本海を渡って先制攻撃を仕掛けてきたのは中国の元という王朝でした（図9）。しかし、彼らは人類史上最大の世界帝国を作り上げたモンゴル帝国の一部です。西はヨーロッパのハンガリーまで到達した超大国です。最後の仕上げに周辺に残った小国を取りに来てみただけ。日本は本当にラッキーなことに、よいタイミングで台風が来て助かったと説明されます。ただ、「そんなに日本が欲しかったのか？」と当時のモンゴルの人々に聞けば「べつに」と言われそうなくらいしょうもない話です（たぶん）。

ほとんどの日本人にとって外国とは想像上の場所でした。想像が現実となったのは、江戸時代の終わりにに開国をした時です。その時日本人は世界を、そして欧米をどう見たのでしょう。その後の日本を背負って立つ人々が見た世界の景色は、現代の我々が見ているものとは全く違うものでした。

ここで注目したいのは福澤諭吉という人です

図９　狩野晴川院《蒙古襲来絵詞(模本)》江戸時代・19世紀、東京国立博物館蔵
出典：ColBase (https://colbase.nich.go.jp)

（図10）。有名ですし、たくさん文章を残していますし、一万円札に印刷されてもいる超有名人。彼に注目するのは、江戸時代に欧米と日本との違いを本当の意味で体験した数少ない日本人のひとりだからです。

下級武士の家に生まれた福澤は、子供の頃から漢学（中国の学問）や、蘭学（オランダの学問）、英語の学習など、幕府にとっては貴重な能力をもった人材として注目をあつめていきます。一八五九年に日本とアメリカが貿易をしましょうと約束した「日米修好通商条約」の使節団の一員としてアメリカを訪問。さらに一八六二年にはヨーロッパを訪れています。実は江戸時代に海外に渡航することは法律違反でした。これも日本が「鎖国」をしていたとされる理由のひとつです。ですから「江戸時代に欧米諸国を見て帰ってきた人物」という意味において、福澤諭吉は貴重な日本人でした。

図10　《福澤諭吉肖像》慶應義塾福澤研究センター蔵

彼が彼の地で訪れた場所に一八六二年のロンドン万国博覧会があります。当時のロンドンで出版されていた新聞 Illustrated London News（『絵入ロンドン新聞』）に、博覧会を訪れた日本人の一行について紹介されています（図11）。

描かれている和装の男性の中に福澤がいるかどうかはわかりませんが、会場で彼らが見たものは圧倒的でした。博覧会のメインパビリオンの天井は鉄骨で支えられたガラス張りドーム。大きな鉄骨はもとより、実用的な板ガラスを生産することも当時の日本にはできません。

会場には、初代駐日英国総領事（のち特命全権公使）のラザフォード・オールコックという人が日本から持ち帰った日本産の製品が展示されていました（図12）。

新聞に掲載されたスケッチを見ると、JAPANという垂れ幕の下に、ワラで編んだミノや笠、提灯、陶器や漆器などが展示されています。会場の建築と比べるとみすぼらしく、圧倒的な技術力の差が見て取

図11　The International Exhibition of 1862 – The Japanese Embassy at the International Exhibition, from The Illustrated London News, 24 May, 1862. Museum no. NAL. PP.10, © Victoria and Albert Museum, London

れます。国の代表としてこれを見た若き日の福澤は「これはマジでヤバイ」と思ったことでしょう。

帰国後、福澤は『西洋事情』など、自らが見聞きした外国の状況を紹介する書籍の出版をはじめます。そこに書かれているのは、日本よりも優れた技術や制度をもつ欧米諸国の現状でした。その文面からは、「早く追いつかなければ、いつどこから攻められてもおかしくない」という危機感がにじみ出てくるようです。現代のように、「何かがあったら日本を守る」と約束をしてくれるアメリカのような国はありませんでしたから。

一八六八年、徳川慶喜が国を治める力を明治天皇に返し、明治という時代がはじま

図12　The International Exhibition of 1862 – Japanese Court, from The Illustrated London News, 20 September, 1862. Museum no. NAL. PP.10, © Victoria and Albert Museum, London

りました。福澤は、主宰していた蘭学塾を慶應義塾（現在の慶應義塾大学の前身）と命名し、活発な執筆活動を開始します。

日本の芸術とは何か

福澤が生涯に遺したたくさんの著作の中には、美術や芸術に関するものもあります。最も有名なのは「『天は人の上に人を造らず人の下に人を造らず』と言えり」で知られる『学問のすすめ』でしょう。

さて、ここでとても簡単な問題です。なぜ、天が人の上に人を造らず、人の下に人を造らなかったら『学問のすすめ』なのでしょうか。この質問を大学生にすると、きちんと答えられるのはほんの一握りです。日本の教育がいかに結果だけを覚えさせて、理由を教えないかがわかる例です。

答えは聞けば簡単。「生まれた時に人の優劣は決まっていないから、きちんと勉強したら誰でも偉い人になれますよ」ということです。後でお話ししますが、江戸時代の厳しい階級社会を知っている人にとっては、これはとても新しい考え方でした。それまでの社会は基本的に職業選択の自由がなく、下級武士や農民の家に生まれた人にはそれ以外の選択肢はとても少ない。一方、良家の長男として元気に生まれれば、馬鹿でも偉くなれるのが江戸という時代でした。こうして新しい社会のあるべき姿を彼は発信していったのです。

福澤が新しい明治という時代に広めたのは、江戸という社会に根本的な変化を求める新しい考え方ばかりでした。その中に、現代の我々の日本文化を左右した本というのもあります。一八八二年に発表された『帝室論』がそれです（図13）。この本の中で彼は「日本の芸術とは何か」について語っています。現代語訳してみましたので具体的に見てみましょう。

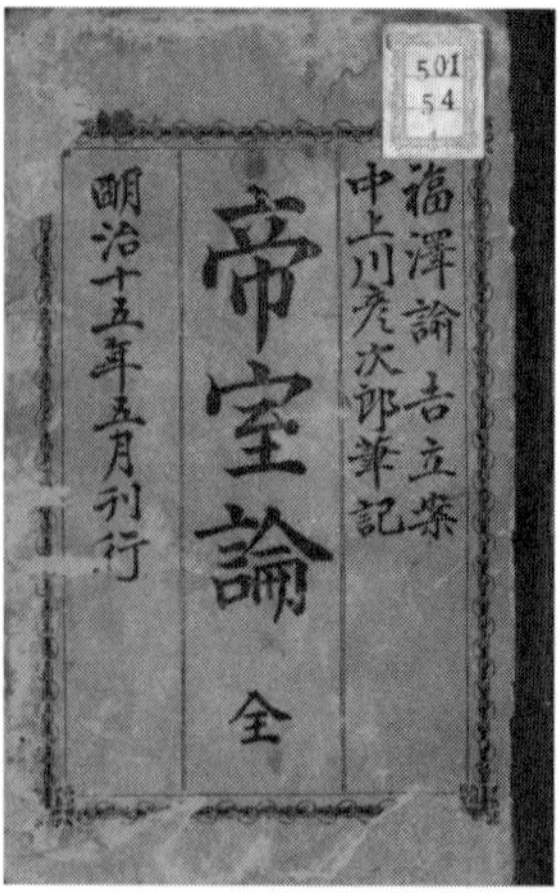

図13　福澤諭吉『帝室論』1882年、丸善刊、慶應義塾福澤研究センター蔵

私が今、特に注目するのは日本固有の技芸のことである。今日これを保存しようとすれば難しくないが、これを放っておけば最終的になくなってしまう恐れがあるものが以下である。
（著者現代語訳、以下同）

さて、ここで久しぶりに皆さんに質問です。福澤諭吉がここで挙げている「日本固有の技芸」にはどんなものが含まれているでしょう。ヒントとしては、大学生に「日本を代表する文化とは何か」と聞くとそれほど難しくなく答えがでます。

では福澤の文章の続きを見てみましょう。

日本の技芸に書画あり、彫刻あり、剣槍術、馬術、弓術、柔術、相撲、水泳、諸礼式、音楽、能楽、囲碁将棋、挿花、茶の湯、薫香等、その他にも、大工左官の術、盆栽植木屋の術、料理割烹の術、蒔絵塗物の術、織物染物の術、陶器銅器の術、刀剣鍛冶の術等、すべて記載することは私にはできないけれども、その数はとても多い。これらの諸芸術は日本固有の文明であり、昨今の情勢によって大きな影響を受け徐々に衰えようとしている。それをなくしてはいけないとし、救おうとするならばとても急がなければならない。

いかがでしょうか。現代に美術と呼ばれている書・絵画や彫刻。相撲や能、華道や茶道、そして、建物、庭、工芸品などは日本にしかない。これらは衰えはじめているから救うためには急ぐべきであると言っています。日本文化が専門の私から見ると、確かに現在存続の危機に瀕している文化ばかりです。一〇〇年以上前に、こうなることを予言したという意味で福澤諭吉はすごいです。

ここに並べられている項目は、現在私たちが日本文化であると認識しているものと似通っています。なぜかと言えば、現在日本の美術や文化だと信じられているものは、明治時代に、ある基準で「選ばれた」ものだからです。その基準とは「西洋人に誇ることができるものであること」。そして「中国にはない、もしくは中国から日本が学び、新しく作り替えたものであること」です。福澤の言葉を引用すると以下のように書かれています。

芸術は無用ではないだけではなく、我が国が持つ固有の美術であり、西洋人などが知らないものがある。茶を喫するにも方法があり、茶の湯の道という。花を器に挿すにも方法があり挿花、立花の術という。香を嗅ぐにも方法があり、薫香の芸という。この類は少なくなく、西洋人に語っても容易に意味を理解することができない。又、御家流の文字のように、基本は中国から学んだものでも、中国風ではなく、一種のスタイルを作りあげてその方法を伝えていることにより我国固有であり、美術において大切なものであると言える。いずれも、すべてが我が文明の富であり、外国人に誇るべきものだ。

先ほど、日本は欧米諸国から認められるために日本にしかない文化を選んだと言いました。その基準とは、福澤諭吉のこの文章からもわかるように、外国人に誇るべきものは、西洋にはなく、中国から学んだものの中でも日本風に作り変えたものである、ということです。

この基準にあてはまるものでなければ、日本は海外から特別な国として認識されません。西洋にないものはそれほど難しくはありません。しかし「中国と違う」ものを選ぶことは実はそう簡単ではないのです。

現代の日本人には信じられない、もしくは信じたくない人が多いと思いますが、日本の歴史のほぼすべての時代で、日本人は中国に憧れ、中国を模倣してきました。遣隋使や遣唐使を派遣したのは、中国から最新の知識や技術を学ぶためです。鎌倉時代や室町時代に日本の政治にかかわった禅僧には中国の人や中国で学んだ人が少なくありません。中国から輸入されてきた陶磁器や漆器、絵画などは美術品として最高の評価を得ました。多くの日本の美術館・博物館にそういった中国陶磁器がならんでいることに気づいている方もおられることでしょう。

「鎖国」と呼ばれ、海外との関係を厳しく制限していた江戸時代になっても中国は日本人の憧れの国であり続けました。当時の学問は中国の文学などを学ぶ「漢学」です。さらに最新の中国について学ぼうとする人は長崎を目指しました。中国はオランダと同様に交易を許されており、長崎には中国人がいたからです。

先ほどもお話ししたように、実際に船に乗って海外を旅行することは許されていませんでした。日本全国のお金持ちや権力者、そしてインテリたちは、中国から届いた本を読み、中国製品を眺めながら、憧れの理想郷に想いを馳せたのです。漢字だけではなく日本人に季節の感覚を伝えてくれる太陰暦や節句、お茶を飲むこと、書道や水墨画、陶磁器や着物などの染織品まで、現代の私たちの生活の基本となっている文化の多くは中国と、たまに朝鮮半島、ごくたまにそれ以外の外国から学んだものです。

中国美術に詳しい人が見れば、日本の絵画は中国のコピーばかりです。室町時代の画家雪舟《せっしゅう》は世界に誇る素晴らしい画家であると多くの日本人は信じています。しかし、彼と同じ時代に大陸で活躍していた中国人画家と比べれば、絵画を描く技術だけではなく、使っている紙の艶や墨の濃さに至るまで、相当な差があります。つまり当時の世界的なレベルと比べると雪舟の水墨画はたいしたことはありません。「日本人にしてはやるじゃん！」くらいです。それをわかっていても、日本の美術史の先生はわざわざそんなことは言いません。雪舟の水墨画には「国宝」もありますからね（図14）。

私は日中の陶磁器の歴史が専門ですが陶磁器も同じです。中国と日本の陶磁器の歴史を比べると、日本は科学技術で数百年遅れています。中国が人類史上最高と呼ばれる汝窯《じょよう》という窯で焼かれた青磁（青色のやきもの）（図15）を完成させたのは十一世紀末頃のこととされています。

同じ時代の日本のやきものと言えば「六古窯《ろっこよう》」と呼ばれる六つの産地（瀬戸、常滑、越前、信楽、丹波立杭、備前）が有名ですが、そのどれもが茶色いいびつな形をした、よく言えば「素朴」な陶器です（図16）。

図14　雪舟《秋冬山水図》（国宝）室町時代・15世紀末〜16世紀初、東京国立博物館蔵
出典：ColBase (https://colbase.nich.go.jp)

図15　《青磁 水仙盆》汝窯、北宋、大阪市立東洋陶磁美術館蔵
（住友グループ寄贈／安宅コレクション）　写真：六田知弘

図16　《一重口水指（柴庵）》（重要文化財）信楽、安土桃山時代・16世紀、東京国立博物館蔵
出典：ColBase (https://colbase.nich.go.jp)

技術的には中国の足元にも及ばず、洗練された青いやきものを作る技術は持っていませんでした。歴史的に見ると、あまりにも開きすぎた日中間の科学技術力の差。専門家にとっては当然のことなので改めてはっきりと言うことはありません。ちっぽけな日本人の自尊心が傷つきますし、みじめな気持ちになりますから。

このように、日本の歴史がはじまってからずっと日本人が物を作る時にお手本にしたもの。それが、中国から届く技術的に優れた輸入品でした。しかし、同じレベルのものはなかなかできません。結果として、明治時代の初期、日本人が貿易をはじめた頃の日本製品は「中国製品の劣化版コピー」と言うべきものが多かったのです。とはいえ、それは当然のことですから、江戸時代の日本人は何も不思議には思いません。心から中国と中国の文化を愛している人ばかりでしたから。

こんなお話が記録されています。明治時代になり、東京に初めての中国の公使館ができ、中国から外交官の一団が来日しました。すると、本物の中国人と交遊したいと、公民館に多くの漢学や書を学んでいる日本人が集まったというのです（実藤恵秀『明治日支文化交渉』１９４３年）。今ならハリウッドから有名俳優が来るようなものだったのでしょう。

歴史の授業で教わる開国は、欧米に向けたものというイメージが強いです。でも、日本全国のＷＥ　ＬＯＶＥ　ＣＨＩＮＡな日本人にとっては、憧れの中国を自分の目で見る初めてのチャンスでもありました。実際に明治期には多くの日本人が中国を訪れましたが、そこで彼らが見た憧れの国の現実は、想像していたものとは程遠いものでした。十九世紀におこったアヘン戦争・アロー戦争の結果、香港などをイギリスに奪われ、太平天国の乱という内乱もおこり、中国の国力は急速に衰退していました。植民地化は中国だけにとどまらず、インドから東にある国々の多くはヨーロッパ諸国の支配下にあった。欧米人の「やりたい放題」となっている他国の現実もその目で見て理解します。

明治政府は他のアジア諸国と同じようにならないように、軍備の増強や産業の近代化を、中国ではなく欧米に従って進めます。芸術や文化の面でも、「中国の劣化版コピー」ではなく、欧米人から一目置かれる独自性を持っていると発信をはじめます。だからこそ、福澤は、西洋にはなく、中国から学んだものでも、日本風に作り替えられたものを「日本の技芸」としました。言い換えれば、日本の芸術は「中国と同じだと思われないようにするために作られたもの」だったということです。こうして日本独自の美術史を創作し、フランス語に翻訳し、世界の国々が集まるパリ万博の会場で発表したのです。

この基準でもう一度、福澤が選んだ日本の芸術を見てみましょう。たしかに中国とは違うものが選ばれているということがわかるでしょう。

日本の技芸に書画あり、彫刻あり、剣槍術、馬術、弓術、柔術、相撲、水泳、諸礼式、音楽、能楽、囲碁将棋、挿花、茶の湯、薫香等、その他にも、大工左官の術、盆栽植木屋の術、料理割烹の術、蒔絵塗物の術、織物染物の術、陶器銅器の術、刀剣鍛冶の術等、すべて記載することは私にはできないけれども、その数はとても多い。

こうして現代の日本人が「日本文化」であるとするものの選択が、たった一五〇年くらい前に行われたということ、皆さんに伝わったでしょうか。

日本の芸術は何のためにあるのか？

長々と日本の芸術が選ばれた背景についてお話をしてきました。日本の芸術は欧米人に対して、日本は「中国とは違う」ということを発信し、日本の独自性を説明するものでした。日本人が日本人であるためのよりどころが、これらの日本人しか持たない固有の芸術であり文化だったということです。しかし、福澤の時代から、社会の仕組みの変化によって、先ほど挙げた日本固有の芸術は衰退をはじめていました。そこで彼は『帝室論』を書き、国家によってそれらを守るべきであると言います。同時に彼はこの問題は文部省の役人に託すことはできないとも述べているのです。

> 国会・政府が後にあれば、ただ冷たい法律と規則を決めて、道理ばかりの中に埋没してしまう。（中略）政府の官省が眼前の問題に不要な芸術を支配して、特にこれを保護奨励しようとすることは考えられないことである。

文系の学問はお金を生まないからと、研究のためのお金を削り続ける現代の文部科学省のことが頭に浮かびます。お金を生まない芸術を救うことができるのは、政治社会の外にある帝室（現在の皇室）だけだから、宮内省に予算をつけて芸術を保護させるべき。だからこの福澤の本のタイトルは『帝室論』なのです。

この出版から八年後の一八九〇年に、宮内省が優秀な芸術家を認定し年金を支給する「帝室技芸員」という制度が作られました。この制度で選ばれた芸術家には、黒田清輝《くろだせいき》、横山大《よこやまたい》観《かん》、梅原龍三郎《うめはらりゅうざぶろう》といった、皆さんも名前を聞いたことくらいはありそうな有名画家が多く含まれています。

「帝室技芸員」制度は終戦後に廃止されました。日本固有の芸術を保護する制度のほとんどは、福澤諭吉の気持ちを斟酌《しんしゃく》すれば「残念なことに」文部省（現在の文部科学省）に引き継がれました。現在では重要無形文化財保持者（いわゆる「人間国宝」）や芸術院会員といった人々への国からの支援という形で続いています。

このような歴史があって、日本政府は日本の芸術に税金を使い続けているのです。それが、日本の文化的な独自性を保ち、「中国とは違う」と言い続けるための唯一の方法だからです。実際に文化行政を担当している方々がこのように考えているかどうかはわかりませんが……。

余談ですが、ここまでのお話はまさに「中国が弱い時」の考え方です。幸運にも我が国はこの百数十年間、中国よりも経済的に優位な時代を経験しました。しかし近年は中国に追い越され、日本が中国よりも強かった時代を知る人の数も減りつづけています。

歴史上のほとんどの期間、日本は常に偉大な中国の影に隠れたちっぽけな島国でした。我々が体験した「中国よりも強い日本」は、歴史的に見ると「激レア」な存在です。その時代を経験できたことは、日本史上最上の幸運を謳歌したと言えるかもしれません。しかし近い将来、「中国の劣化版コピー」に返り咲く日が来るでしょう。それが日本にとっては普通な状態ですから、通常に戻るだけと考えれば大した問題ではありません。
「文化財は大切だけれど私とは関係ない」という方々には、ぜひともこのことを知ってほしいのです。知った後にどうするかは、人それぞれで構わないのですが。

日本美術を捜索せよ

日本の芸術や文化というのは「欧米に対して中国と同じだと思われないように選ばれたもの」と説明しました。では、ここからは実際に日本美術史を作ることになった背景についてお話ししようと思います。ちょっと難しかったらすみません。

江戸時代の終わりに開国し、優秀な人材を海外に派遣した日本は、世界の中で自分たちの国が置かれた状況を知ります。生き残るためには、まず社会や産業の西洋化が必要であると考えました。洋服を着て、ナイフとフォークで食事をし、「ちょんまげ」という欧米人から見ればなかなかにアバンギャルドな髪形をやめたりしたことがわかりやすい例です。

さらに当時の国会議員よりも高額な給料を払って多くの外国人専門家を雇いました。軍隊でいうと、海軍はイギリスから、陸軍はフランスをお手本にしました。それがうまくいったため、開国からたった五〇年間で、日本はロシアと戦争をして勝ってしまったのです（日露戦争）。工業の生産にも最新の科学技術が導入されます。陶磁器はオーストリアやドイツ、染織はフランス、コイン鋳造はイギリスというように、一番得意な国から学んだのです。詳しくは「お雇い外国人」でインターネットや書籍を検索してください。詳しい情報を得ることができます。

美術はというと、西洋的な美術の制作方法はまずイタリアから学びました。国が最初に設立した美術学校は工部美術学校といいます。工部省は現代でいうところの経済産業省なので、「経済産業省立美術学校」という感じです。文部科学省ではなくて、経済産業省であることが、当時の美術に期待されていた役割を表しているかもしれません。

教師として雇われたのはイタリア人の教師でした。しかし、あまりうまくいかなかったようで、一〇年足らずで閉鎖されてしまいます。そもそも、日本国内には油絵や西洋的な彫刻作品を求める人はまだ少ない時代。西洋美術が本格的に日本に普及しはじめるには、黒田清輝など、当時の西洋美術の中心国フランスで学んだ画家たちが帰国する、明治時代の終わり頃（一九〇〇年前後）まで待たなければなりませんでした。

少し考えたらわかることですが、当時の日本にとって、油絵や彫刻を欧米のレベルに引き上げることに、大きな価値はまだありませんでした。欧米の美術を買うのは現地のお金持ちです。レベルの低い日本人が必死に真似をした油絵や彫刻作品を、彼らが買ってくれるためのハードルは相当高いものです。

さらに第二次世界大戦前に、欧米人が欲しがるレベルの洋画家に到達したのは藤田嗣治《ふじたつぐはる》くらいのものです。その藤田ですらパリで二十世紀に活躍した画家のひとりという位置づけです。世界的に評価されたかどうかという点ではパブロ・ピカソやアンリ・マチスに遠く及びません。世界的な洋画家として油絵の歴史に登場する日本人はほぼいないのは、西洋美術史の本を読めばわかります。日本の洋画など世界的に見ればその程度のものです。

西洋美術を真似しても世界に日本を認めさせることはできない。それならばどうするかといえば、やはり日本にしかない美術的なものを紹介するしかありません。前にも書きましたが床の間にかける掛け軸、その手前に置く花瓶など、日本にも美術的なものはいろいろとあります。しかし、その中で西洋人が感心するような「よいモノ」がどこにあり、誰が持っているのかを知っている人は限られていました。

改めて言いますが、かつて日本はUnited Kingdom of Japanでした。二五〇とも三〇〇ともいわれる数の国に同じくらいの数のトップがいます。彼らが「よいモノ」を持っているのは当然のことですが、それらはすべて資産としての価値があるものです。防犯のことを考えると、できるだけ公開は避けたい。そのため、誰がどんなものを持っているのかを把握している人などいませんでした。

「胸を張って世界に発信できる日本美術がどこにどれくらいあるのか?」これを調べるために明治政府は調査をはじめます。明治五年からはじまった調査の結果は、日本政府には嬉しい内容でした。なぜなら、世界に自慢できる美術的な作品が存在することが判明したからです。

法隆寺は正倉院よりもさらに古く七世紀に建造されたと推定されます。このことは、日本に「世界最古の木造建築を保有する国」という称号を与えてくれました。

正倉院からは一二〇〇年以上前のペルシアのガラス器が見つかりました。すでに奈良時代には日本は世界とつながっていたと言える証拠が残っていたということです。他にも八世紀から正倉院にあると想定できるさまざまな文物がありました。これだけ古いものが、状態もく、まとまって保管されている場所は世界中を見渡しても他にありません。こうして東大寺の蔵であった正倉院は「世界の宝物の収蔵庫」として国の管理の下に置かれることとなり、広く世に知られるようになったのです。

日本は欧米に遅れて産業革命がはじまり、科学技術では到底太刀打ちできませんでしたが、「古い物の古さ」では世界一と言うことができた。中国から学んだ仏教を大切に守り、伝えてきた。世界の東の果てにあるちっぽけな島だったおかげで、侵略を免れ、独特の文化・芸術を保存し、継続させてきた。火がついたらあっという間に燃えてなくなってしまうものが、たくさん残っていた。開国したことは、自分たちの持っているモノがいかに特殊かということを、日本人に理解させるきっかけにもなったのです。

文化といえば京都が中心と思い込んでいませんか。しかし京都は何度も大火事に襲われており、古い建物はそれほど多くはありません。実際は奈良の存在のおかげで、日本は世界一古い物を持っていると認識されるに至ったのです。「奈良県の皆さん本当にありがとうございます！」

日本独自の芸術は日本人には見つけられない

奈良の仏教寺院の他にも、当時発見されて世界最古級であると認められたものがあります。それを見つけて海外に発信してくれたのは、明治時代に来日した「お雇い外国人」と呼ばれる人たちでした。

たとえば「縄文土器」です。見つけたのはアメリカ人のエドワード・モースという人。大森貝塚を発見した人として有名です。長年、東京大学で生物学の教授を務めることになりましたが、元々は自身の研究のために来日しました。そして横浜駅から東京に向かう汽車の車窓から貝塚を見つけます。許可を得て発掘をしてみた貝塚からはとっても古い土器が出土しました。

縄を押し付けて模様が表現されていたことから、モースはその土器をcord marked pottery、日本語に訳すと「縄文土器」と命名し、帰国後のアメリカで論文を発表。当時世界で発見されていた土器と比べても最古級であると紹介しました。つまりアメリカ人の研究者が発見してくれたおかげで、日本が世界有数の古い歴史がある国と紹介されたということです。そして日本史のはじまりとして捉えられる「縄文時代」の由来はアメリカ人によるものだったのです。

モース以前に大量の貝殻の存在を知っていた日本人もいたことでしょう。しかし、知識がなければ目の前に大発見があっても気づかないものです。大森貝塚の発見の他にも、このアメリカ人教授は七〇〇〇点とも八〇〇〇点とも言われる日本陶磁器を収集しました。現在は減ってしまいましたが、明治時代の初期には全国に三〇〇を超える数のやきもの産地がありました。彼は、日本国中の陶磁器をくまなく収集し、それをボストン美術館などに寄贈しました。日本が世界有数の陶磁器生産国であるという証拠を米国有数の美術館に遺してくれたのです。

日本に長期滞在し、母国に帰国した後に日本を紹介してくれた外国人は他にもいます。東京大学で哲学を教えるために来日し、岡倉天心と共に東京藝術大学の前身である東京美術学校の設立に尽力したアーネスト・フェノロサの名前は聞いたことがあるでしょう。奈良の神社仏閣の調査にも参加し、アメリカやイギリスで日本美術の本を出版してくれました。

大英博物館の日本絵画コレクションの基礎を作ったウィリアム・アンダーソンという人は、日本海軍に雇われた医師でした。日本での滞在中に約三〇〇〇点もの絵画作品を購入し、それを研究し、フェノロサと同様に浮世絵や絵画についての本を英語で書きました。

彼らは海外の研究の現状を知っていて「日本の何が欧米人をときめかせることができるのか」をわかっていました。優秀な日本人だとしても、まだまともに英語の文章を書ける人が少ない時代に、「外国人にウケる」日本の文化・芸術は何かを教え、それを研究し、欧米で発信したのです。しかし、彼らの功績を知る人は多くありません。日本人が紡ぐべき日本美術史にとって、この話はあまり都合のよい話ではないからです。

さらに残念なことに、この時代に多くの優れた日本美術品が海外に渡ったことについて、「日本美術を不当に海外に流出させた」と批判をする方が少なからずおられます。彼らが日本から母国に持ち帰った作品は、お金を払って購入しているものがほとんどなのに。

裕福な日本という現在の視点で見ていてはわからないかもしれませんが、優れた日本美術が海外に出た理由の大半は円の価値が低かったからです。日本の経済に国際的競争力がなかったからです。私たちが、世界の東の端のちっぽけな国だったからです。私たちの先祖は外貨の力に負けて、日本の大切な美術品を売ったということです。もしも、怒るべき対象がいるとするならば、買った外国人よりも、価値もわからず、目の前のお金に眼がくらんで売ってしまった日本人の方です。

日本美術を買って帰ったお雇い外国人の中には、生まれ故郷に帰って日本のすばらしさや面白さを紹介してくれた人々が少なからずいました。彼らと彼らが持ち帰った作品が、海外における日本文化の普及に果たした役割。その大きさに少しでも想いをめぐらせることができる創造力さえあれば、彼らを批判するよりも、感謝することの方が正しいと思えるのではないでしょうか。

世界を知る欧米人が、他国の文化と照らし合わせて日本の面白さや特徴を教えてくれた。それは現代も同じことです。マンガやアニメが世界に誇る日本の文化だと認識させてくれたのは、フランスのコスプレイヤーたちでした。話題になりはじめた頃、苦々しい顔をして「あんなのは日本文化じゃない」と批判していた偉いおじさんたちの顔が懐かしく思い出されます。

京都に旅行で訪れた外国人観光客が着ているポリエステル製の着物を「あんなものは着物

じゃない」とプリプリ怒っている方々と同じですね。なぜ新しい京都の服装文化の誕生とポジティブにとらえることができないのでしょうか。それができるくらい心に余裕があれば、今よりもっと面白い展開ができそうです。

恥ずかしがり屋の日本人

開国以来、日本の芸術の発信は外国人に頼りきりです。同時に、日本人は外国人からの評価を気にしすぎて自主規制をしすぎる傾向があります。特に明治時代には彼らから「野蛮だ」と言われないようにと、存在を抹殺しようとした日本独自の文化が少なくありません。ここでは、恥ずかしがり屋の日本人のお話をしてみましょう。西洋化で失われた日本の文化は多くありますが、特に欧米人が信じているキリスト教の国家ではタブーとされていることはいち早く隠されました。このお話を知ると、明治時代の人々がどれだけ必死に西洋化を進めようとしたのかがよくわかるのです。

まずは裸に関することです。キリスト教では公衆の面前で理由もなく裸をさらすことを恥としました。アダムとイブが善悪の知恵の実を食べて、裸が恥ずかしいものと気づいて、楽園を追放されたという、あの話が起源となっています。しかし、裸をさらすことに関して言えば、日本人は欧米人に比べてはるかに無頓着でした。男女の間でもそうです。かつて普通だった混浴の銭湯や温泉なども、西洋人からすればありえないことでした。そこで明治政府の偉い人々は、外国人に見られたくない日本人の習慣を取り締まることにしました。

明治時代の初期に、軽微な犯罪を取り締まる刑罰法の「違式詿違条例《いしきかいいじょうれい》」が日本各地で施行されます。この条例では混浴のお風呂を経営すること、公衆の面前で裸になること、路上で立小便をすることなどが規制されたのです。「でも混浴は今もある」と思われる方もいるでしょう。残っているのは当時、西洋人がほぼ訪れることのなかった九州や日本海側が中心です。彼らの目につく都会では混浴は完全に駆逐され、淘汰されてしまいました。

美術のお話でいえば、「春画」の出版は特に厳しく取り締まられることになりました。「春画」とは男女はもとより、あらゆる性の交わりを描いたものです。驚くほどにリアルに描かれているものも少なくありません。『日本書紀』によると、日本列島はイザナギとイザナミという男女の神が交わったことによって生まれたとされています。国産み神話と呼ばれるお話です。ですから、古来日本人にとって性交は日本そのものを生んだ「めでたい」ものであり、積極的に隠すべきものというわけではありませんでした。

男女の性交を描いた「春画」は、若くして嫁に行く大名の娘から町人の娘まで、夫婦生活の参考にする嫁入り道具という実用的な用途もありました。母親から「これから起こるのはこういうことだから」と、手渡されたようです。海外で評価された日本の浮世絵を代表する、鈴木春信、喜多川歌麿、葛飾北斎など、春画を描いていない浮世絵師はいないとされています（図17）。

一方、日本が近代化のお手本にしたキリスト教において「色欲」は人が犯してはならない七つの大罪のひとつに数えられています。性交は種の存続のために不可欠なものですが、基本的には隠すべきものとされていたのです。そこで、キリスト教徒である欧米人に「野蛮人」と思われないためなのでしょう。春画を制作し頒布することは犯罪として規制され続けました。戦後には春画を掲載した書籍を出版した研究者が逮捕され、裁判で有罪になったりもしたのです。

図17　喜多川歌麿《歌満くら》 浦上満氏 所蔵

平成になり、ヘアヌード写真が解禁されたりする中で、描かれた性交の描写に対する警察・検察の取り締まりは目に見えて緩くなってきています。しかし、春画は一般的な日本人の目からはとても遠い場所にありました。

この状況に変化を与えたのは、海外からの働きかけでした。英国ロンドンにある大英博物館が企画した二〇一三年の『春画展』がそれです。大英博物館とロンドン大学と日本の研究者が結集し、四年間の研究の末に実現したものです。私が留学時にお世話になった先生や友人たちが企画したこの展覧会は大成功をおさめました。

イギリスでの成功は、日本人が失った日本を代表する芸術として、そして日本の社会や文化を捉えるとめの資料としての春画を考えなおすチャンスと、専門家たちは考えました。しかし、「大英博物館で成功した展覧会を日本でも」という企画は美術館・博物館から拒否され続け、会場がなかなか決まりませんでした。理由の大半は「博物館や美術館といった公共的な場所にわいせつ物とされるかもしれないものを展示するのはいかがなものか」ということです。そうなった歴史的背景を知れば、この理屈がいかにばかばかしいかわかるはずです。「春画」はそもそも日本人が欧米人に嫌われないように気を遣って「自主的に隠した」のです。欧米人、それも世界を代表する大英博物館が日本人よりも先に「春画」は芸術であると発信した。「春画」を隠す必要はこれでなくなったはずなのです。

この「春画展」の企画は途中で頓挫するかと思われましたが、そこに救世主が現れました。元内閣総理大臣の細川護熙氏がその人です。政界を引退されてからは、ご実家で旧熊本藩主であった細川家に伝わった文化財を管理・展示する永青文庫の理事長などをされておられます。美術に造詣が深く、今回の展覧会の意味を理解している細川氏の意向で、あちこちの館で受け入れを断られた「春画展」の日本開催に最初に手を挙げたのが永青文庫でした。そして、それに続いたのが、京都の細見美術館です。

どちらの館でも「春画展」には多くの人が訪れ大成功を納めました。このお話の詳細については、なんと映画も作られましたので、機会があればぜひご覧いただければと思います。

神と巫女と日本人

明治時代、「混浴」や「春画」のように外国人を意識して隠された日本の文化はたくさんあります。その中でも特に日本人の生活のあり方に大きな変化を与えたものがあります。それは、神社の話。国が神社から力を奪ったということです。

皆さんは、神社の巫女さんたちが普段どんな仕事をされているとお思いでしょうか。おそらく多くの方は、参拝者の対応をしたり、神事の時に神主さんを助けたりといったことおっしゃるはずです。神楽舞をご覧になったことのある方は、それも仕事のひとつとお考えになるかもしれません。

ここで私は「男女の雇用機会は均等だから宮司の数も男女同じ数にしろ」と言いたいわけではありません。そういう現代的な判断で曲げられないことが宗教にあるのは承知しています。しかし、神社と女性の関係というのは、皆さんがお持ちのイメージとはちょっと違うということをお話ししたいのです。

神道《しんとう》というのは日本独自の宗教です。この島には八百万の神がいるとされ、人々は神様を怒らせないよう、護ってくださるように、お世話するのが基本です。なぜそんなにたくさんの神様がいるのかといえば、それだけこの国が豊かな自然に恵まれているからでしょう。農業をする人は太陽を照らす力、雨を降らせる力に頼らざるをえない。谷に住む人は山の恵みに神の存在を感じ、海辺に住む人は巨大な波を生む神が海に住むと信じた。神道の神はこの国の人々の生活と共にあったのです。

前に述べましたが、日本という国は世界の端にある小さな島国です。そのため、世界的な戦乱に巻き込まれることは少なかったと同時に、他国からの富が流入することも少なかったと言えます。交通の要所にある都市と比べるとよくわかります。たとえば、イスタンブールやジャカルタといった場所は歴史的に常に世界の流通の要所でした。そこでは産業として何も生まなくても、世界からお金やモノが集まってきます。さまざまな宗教を信じる人も集まるので紛争が起こりやすく、戦争でまず狙われるのがそういう都市でもあります。日本はそれとは正反対。世界の端っこにあるので、富やモノが他国から届いたとしても量はたかがしれています。ですから、我が国の人々が頼ることができるのは、外国ではなくこの島にある自然しかなかったのです。

日本人が日本人だけで生き残ることのできるくらいにこの国が自然豊かだったという事実は幸運なことでした。山脈は日本海や太平洋から流れてくる雲を雨に替える壁となり、掘れば金銀銅といった豊かな鉱物資源を含んでいました。南北に伸びた列島は亜寒帯から温帯、亜熱帯とバラエティーに富んだ気候で、水は豊富にありさまざまな穀物や野菜が育ちます。島が細く長いため、山の恵みと海の恵みの両方を享受することができる。改めて考えてみるとすごいことですが、日本人は江戸時代の終わりまで、春から秋に降り注いだ日光を浴びて育った植物から生まれるエネルギーと、その植物の恵みを食べて育った動物、川や海からとれる魚介類だけに頼って生きていたのです。究極のエコ社会はすでに我々の祖先によって実現していたと言えます。

時に、思い通りにならない自然は人々を苦しめます。天候が不順で農作物の不作が続いたり、火山噴火や、地震や津波といった天変地異がおこったりすれば、人は簡単に命を落とします。こうして人間ではコントロールできない山や川や海が起こすさまざまな自然現象を人は「神」の仕業であると考えるようになります。「本当に神様がいたのか」は、私にはわかりません。しかし、日本人の心の中には常に神様がおられたということは、全国に何万社もある神社の存在が教えてくれることです。

「神様」の家として建てられたのが神社です。そこでお勤めをする神職である宮司や巫女と言った人々の役割は、神様のお世話です。そして神様に何かお願い事をしたい人々のために、神との仲介役を担うこともあります。神と人とを繋げる方法にはいくつか種類がありますす。お賽銭箱に茶色く色の変わった5円玉を放り込むくらいでは神様も真面目に聞いてくれそうにありません。ですから、もう少し本気でお願いしたいときは、神様に仕えている神職の方から伝えてもらいます。一般的なのが「祈禱」ですね。でも、現在一般的なこの方法は、こちら側からあちら側への一方通行でしかありません。「聞いてくれるかどうかは神しだい」なのです。

かつてはもうひとつ、人々が神様とつながる方法がありました。それが「神懸かり」と呼ぶものです。神からのメッセージを伝えるために、力のある巫女が神を体に降すというのがそれです。日本の歴史には女性が神から託宣（お告げ）を受けて何かを決める話がしばしば出てきます。男性でそれができる人もいましたが、女性のほうが神と繋がる力は強いとされていました。力のある巫女は有力者とつながり、小さなことから大きなことまで、さまざまな決定のために「神」の言葉を伝えていたのです。ちなみに、かつては神社に所属している神社巫女以外にも、梓巫女などと呼ばれる各地を渡り歩いて祈禱や託宣を行う巫女も大勢いたとされています。

これが仏教寺院に比べて、神社に美術品が少ない理由です。前に規模の大きな宗教の多くは人々を信じさせるために美術を活用したと書きました。信者にお金持ちを抱えようとする宗教は、珍しい高級品を布教に活用します。一般人を相手にする宗教は個々の美術品よりも、「偉大な力」が存在することを信じられる空間を演出します。しかし、神社の空間はすこし違います。なぜならそこは神が住む家だからです。

神社では本殿と呼ばれる神様のお住まいに入ることは許されません。中がどうなっているのかを知っているのは、それを建てた大工さんと、その神社の宮司さんくらいのものです。一般的に神様にお願いを聞いてもらう時は、本殿の手前にある拝殿で行います。かつてはそこで巫女が神を体に降ろすために舞うということがありました。神と出会うスペースには華美な装飾は必要なく、神様に失礼のない空間であればよい。大切なこととは、巫女を通じて、その存在を確認し、神の考えを知ることだからです。

では現代の神社はどうでしょうか。皆さんが神社で出会う巫女さんのほとんどはアルバイトで雇用されています。京都には山ほど女子学生がいるので、年末年始はあちこちの神社で臨時巫女の募集がでます。神を降ろす力を彼女たちはもっていません（素質のある子はいるかもしれませんが）。一部の大きな神社では巫女さんを正職員として採用しています。しかし仕事の主だったものは、神社運営のための雑務や男性神職の手伝いだといいます。巫女さんが舞うこともありますが、祈禱の途中に「神様に楽しんでいただく余興」として披露されます。神を降ろすということはされません。なぜならそれは「してはいけないこと」として禁じられたからです。

巫女が神懸かりを禁止されたのはいつかと言えば、それはやはり明治時代です。明治六年に明治政府が出した「巫女禁断令」と呼ばれているものがそれです。正式には「梓巫市子並憑祈禱孤下ケ等ノ所業禁止ノ件」といいます。この通達が国から出た理由のひとつには、混浴や春画の規制と同じと考えることができます。西洋人から「神のお告げを信じる未開人」であると思われたくないという気持ちの表れでしょう。結果として、神社に所属していた巫女は現在のようなあり方で存続しましたが、神社に所属しないでいた巫女や、その家系は生活の糧を奪われてしまい、日本の歴史から姿を消していきました。

明治は日本固有の宗教である神道にも大きな変化が起こった時代でした。かつて天皇は一般人の前に出ることがなく「生き神さま」と考えられていました。しかし、洋服を着て撮影した明治天皇の写真が公開され、天皇は神から人になりました。同じころ、日本の八百万の神々は、人との間を取り持つ巫女を失い、その存在を証明することが難しくなっていったのです。これが近代化する過程で神道に起こった変化のひとつです。以来、神道の世界は神とつながる力が弱い男性が支配する社会となり、巫女は男性神職の日々の業務をお手伝いする立場にかわりました。

改めて言いますが、これら日本の芸術や文化におこった変化は、欧米諸国から「日本を守るため」に進められた改革です。明治時代とはものすごい勢いで日本のあり方そのものが変わっていった時代でした。伝統もへったくれもありません。混浴をあきらめ、春画を焼き捨て、巫女を神様から引きはがしてまでも、強い意志をもって本気でこの国を変えようとしたのです。そのおかげで、私たちの国は世界有数の経済大国の仲間入りをしました。

その勢いがなくなったきっかけは「バブル経済の崩壊」です。以後、日本の芸術や文化の世界の考え方は正反対に変わりました。「残り少なくなった日本の伝統的な文化・芸術は今あるかたちで守り続けなければならない」となったのです。

第3章

美術を支える科学技術とエリート

アートと科学技術の関係

「平安遷都以来続く京都の文化」。京都にいるとてもよく目にしたり、耳にしたりする言葉です。七九四年に天皇が現在の都と定めて以来、京都は日本文化の中心、そして世界有数の文化都市として存在し続けてきたと考えられています。「みやこ」であるということは素晴らしいことでした。天皇や公家といった、庶民から見れば雲の上に住んでいるような人々がいて、その人々の生活を支える産業が育ちます。織物や染物といった高級衣類、陶器や漆器といった調度品、お酒やお茶、タバコといった嗜好品、すべて最高級のものが手に入るような都市になります。

新しいものが海外から導入されれば、まずこの町で試されます。有名な芸術家が現れれば呼び出されて作品を披露させられます。日本一になりたい人が、最高の舞台で力を試すために集まってきます。常に新しい文化が入り、変化を続ける。現在の東京と同じですね。

京都に住んでかれこれ十数年。仕事が文化関係なので、現在のこの街の文化の現状はとてもよくわかっているつもりです。「伝統文化はどうなっているか」と聞かれれば、「絶滅しかけている」と答えます。

その理由には色々とありますが、根源にあるのは日本・京都にはびこる「伝統文化は今あるままに継承していかなければならない」という考え方です。なぜそうなるかといえば、現在の日本文化・京都文化を牛耳っている人々が「変わらない」ことを選択して生き残ってきた人々だからです。芸術の世界にとってそれはとても危険なことです。なぜなら美術とは常に科学技術の発展と共に歩いてきたものだからです。

印象派

　例としてわかりやすいので、フランスの絵画として世界的に有名な印象派の話をしましょう。「印象派」に含まれる画家と言えば、スイレンの絵で知られるモネ（図18）、活き活きとした女性像を残したルノワール、パリの風景を多く描いたシスレーやピサロなどがいます。彼らの作品の特徴は、いくつかありますが、ここでお話ししたいのは、以前の画家の絵に比べて作品の画面が明るくなることです。その理由のひとつに、チューブ入りの絵の具が手に入るようになったということがあります。

図18　クロード・モネ《睡蓮》1916年、国立西洋美術館蔵
Photo: NMWA/DNPartcom

チューブ入り絵の具が発売されたのは一八七〇年代のこととされています。それまでは、空気と反応して固まってしまう絵の具の持ち運びはとても難しいので、色を塗る作業のほとんどは画家のアトリエで行われていました。それが、外に出て描けるようになったのです。屋内で描くか屋外で描くか、些細な変化のように思えるかもしれませんが、結果は劇的なものでした。太陽の光を浴びる景色を目の前にして描かれた絵画は、それまでと比べ物にならないくらいに明るくリアルに。目の前の光景を見ながら描くことは、画家がキャンバスに光を再現する重要な手助けとなりました。

さらにこの時代はカメラが普及した時代でもあります。カメラが絵画の世界にもたらした最も大きな変化は「記録をする絵画」の存在価値を奪ったということです。写真がない時代、人が自分の姿を未来に残すためには、上手な画家に描いてもらうか、彫刻家に彫ってもらうかしかありませんでした。ですから肖像とは芸術家にとって主要な収入源でした。肖像画や胸像は、依頼されてから制作するものですし、完成品が余程ひどくない限りは確実に売れます。注文主はもちろんお金持ち。肖像画を描かせる目的には若い娘のお見合い肖像画から、宮殿に大きな自分の肖像画を飾って権威を示すなど色々とありました。ルネサンス以降に美術史に登場する画家の大半は、王族や貴族のお抱え画家として多くの肖像画を残したことで知られます。権力者の肖像画を描くことが、有名画家になるためのステップのひとつだったということです。

　出来事を記録するという目的でも絵画は使われていました。歴史の教科書に掲載されるものですと、ナポレオンのお抱え画家であるダヴィッドが描き、現在はルーブル美術館に展示されているナポレオンの戴冠式を描いた絵画があります。写真のように詳細に描かれた絵画によって、当時の式典の様子を知ることができます（図19）。

　カメラが普及しはじめるのは十九世紀の後半以降です。二十世紀になると、技術も進歩し、目の前にある景色や人を比較的簡単に写すことができるようになりました。その結果、肖像画や記録画の分野での画家の仕事が減りはじ

図19　ジャック＝ルイ・ダヴィッド《皇帝ナポレオン一世と皇妃ジョゼフィーヌの戴冠》1805〜1807年、ルーブル美術館蔵　photo: UniversalImagesGroup

めます。そこで画家たちは「カメラで写せないものを描く」というアプローチで、日の前にあるものを画面の上に写し取るということから少しずつ離れていきます。モノクロ（白黒）の写真しかない時代、光や色を描くことは画家が写真に対抗できる数少ない方法のひとつでした。よりリアルで新しい表現を実現するために、外に出てリアルな光と色をキャンバスに再現することがはじまったのです。

もちろん、チューブ入りの絵の具とカメラへの対抗だけで印象派のすべての絵画が生まれた理由を説明できるわけではありません。ここで伝えたいことは、科学技術の発達が芸術の発達と共にあったということです。世界中の頭のいい人が「より便利に・より快適に」をモットーに、日々必死に考え研究している。そうすると、技術は止まらずに進歩を続けます。結果として、芸術も文化も未来につなげていくためには、同じ場所に立ち止まらずに、科学の進歩に合わせて変わり続ける必要があります。その変化を止めると、あっという間に時代遅れのものになってしまうからです。

やきもの

変わろうとせずに同じことを繰り返すとどうなるのでしょう。ここでは日本の「やきもの」を題材にお話ししたいと思います。理由は私の元々の専門が陶磁器の歴史だからです。さて、日本人が使う食器の多くは、土や石の粉を求める形にして、高温で焼き固めて作られます。陶磁器大国と言われるほどに、日本全国津々浦々で、多種多様なやきものが生産されてきました。各地で生産された食器が都市に普及しはじめたのは江戸時代、全国の一般家庭に普及していったのは明治時代のことです。

一般に広がりはじめると、明治時代の終わりくらいから「割れる」という陶磁器の欠点を改善しようという試みがはじまります。お金持ちなら新品に買い替えれば済む話ですが、庶民がなけなしのお金を払って買った高級食器がすぐ割れるなんて耐えられないことです。現代に比べ、当時の陶磁器は衝撃に弱いものでした。真冬に熱湯を注ぐと急激な温度変化で割れるということもありました。より硬いやきものや急激な温度変化に強いやきものの開発がはじまったのはそんな理由からです。

日本の研究者は優秀なので、時間が経てば経つほどに陶磁器はどんどん硬くなり壊れなくなりました。やがて「春のパン祭り」でもらえるような、壊そうと思っても壊れない丈夫すぎる皿が完成したのです。

お客様のためを思って真面目に丈夫すぎる製品を造り続けると、新しい製品に買い替える人が少なくなります。買う人が減れば、売り上げが減るのは当然のことです。とはいえ、積極的にわざと壊れやすい製品を生産することは真面目な日本人には難しいことです。このままでは未来がないので、ビジネスセンスのある人はまったく新しい製品を開発し、市場の開拓をはじめます。陶磁器の世界で食器以外の製品開発がはじまったのは明治時代の後半でした。新しく開発に着手された製品とは、バスタブ・シンク・トイレといった衛生陶器、入れ歯などです。

京セラという企業がありますが、「京都セラミック」を略して「京セラ」です。セラミックとは陶磁器のことです。携帯電話のような精密機器に入っている部品を製造販売しています。日本ガイシという会社が愛知県にあります（名古屋にある日本ガイシホールの名前を知っている人もいるでしょう）。発電所・変電所・鉄塔・電柱に使われるガイシ（碍子）の会社です。どちらも電気にかかわる企業ですが、電気のある所には、電気を通すための部品だけではなく、絶対に電気を通さないようにする部品が必要だからです。そこで登場するのが電気を通さない素材であり丈夫な磁器ということです。

衛生陶器もそうです。TOTOやリクシルといった企業が生産する日本国中のシンクやトイレはすべてやきものです。TOTOは東洋陶器という会社名が由来です。その名前から想像できるように、かつては食器を扱う会社でした。衛生陶器は基本的に再利用されるものではないので、新しい建物が建つ時は必ず必要になります。近年では日本の優秀なトイレが海外でも人気だということを知る人も少なくないでしょう。さらに「セラミック・インレー」などと呼ばれる、硬くて白い人工の歯を口の中にお持ちの方も多くおられるはずです。これもやきものです。

こういった企業は、かつて食器を作っていた人々がはじめたものです。そこから、食器よりも儲かり、現代の人々の生活に即した産業となり、日本を代表する工業製品を生産する大企業に成長したのです。そういうふうに見れば、日本の陶磁器産業は江戸時代から脈々と続き、お金を生み出し続けているということになります。すごいことです。

しかし、今も昔と変わらずに食器を作っている人々や会社とはどうなっているかを見ると、事情は違います。デザインの変化こそあれ、基本的には同じことを繰り返してこれまで生き残ってきました。同じ種類のものを、これだけの期間続けて来られたことは賞賛に値します。それができた理由は、先にお話ししたように、明治時代以降、日本のやきものに与えられた「日本が誇る固有の文化」という役割があったからです。

補助金という延命薬

芸術家として活躍した陶芸家は、戦後に国からその技術が「文化財」であると認められ、「人間国宝」や「芸術院会員」と呼ばれるようになりました。経済産業省は、一九七〇年代に徐々に数が減ってきた伝統的な工芸品を作る技術ある人々を認定し「伝統工芸士」という称号をあたえました。これらの称号を得た人々は日本文化を海外に発信する場面で、古き良き日本の象徴となりました。海外からのゲストが来日すれば、母国に持ち帰ってもらうお土産を準備しました。その目的のために「同じことを繰り返し続けること」を約束させられたのです。リターンとして彼らが得たものは何かといえば、「助成金」や「補助金」という名の延命薬です。

この仕組み、当初はうまくいったように見えました。しかし、バブル経済の崩壊後に限界を迎えます。経済が停滞すると、企業も個人も不要不急のものに対する支出をカット。お世話になった取引先への記念品として社名入りの工芸品を関係先に配るようなことは激減しました。年末にカレンダーをもらうことが最近減ったと思いませんか。ビジネスの世界でのお中元もお歳暮も昭和の伝統と呼んでもいいくらいになくなりました。

生活をするだけなら一〇〇円ショップで購入できる食器で十分。インターネットオークションで家にある不要なものが簡単に売れるので、現代の作家の食器よりも、過去の有名作家の作品のほうが安く手に入る。こうして、陶芸家の生命線としての「毎年大きな注文をくれるお客様」はあっという間にいなくなりました。

伝統工芸の世界が他の業態、たとえばカレンダーの印刷屋さんと違ったことは、新しいマーケットを開拓するために、製品を大幅に変化させることを許されなかったことです。政府から「補助金」をもらうためには、文部科学省や経済産業省、地方自治体から「認定」された技術や製造方法を変えるわけにはいかないのです。何十年も前に認定された方法を続けること、つまり「同じことを繰り返す」という意味での「伝統」を続けることを国や自治体が強制しているということです。さらにひどいことに、社会全体が、日本の伝統的な芸術や文化を守り続ける責任を、彼らに押し付けました。言い換えれば、自分たちは最新の生活を享受し、伝統工芸品を買うこともせず、彼らに時代遅れの芸術を保ち続けることを強要しているということです。

伝統工芸にかかわる人たちが「生活ができないので辞めます」というと必ず「やめるなんてもったいない」と嘆く人がいます。SNSで「残念、何とかならないのか」とか発信しちゃいます。では彼らが作家さんや職人さんが生きていけるだけの金額の作品や商品を買ってくれるのか、注文をしてくれるのかと言えば、答えは確実にNOです。そういうことを言う人ほど、反対するための無料の署名を集めたりサインしたりはするけれど、お金は出してくれないものです。

物を売って、その利益で生活する人々にとって、変化する社会で変わらずに生きていくのは難しいことです。室内を飾る置物や花瓶などを置く場所は失われていきました。高級食器は電子レンジに入れづらい。食洗器で洗いづらい。核家族化が進み、そもそも人を家に呼ぶこともないので、セットの高級食器など必要はない。変わり続ける世界に対応して、新しい製品を生むというポジティブな変化を起こさなければならないのに、国から目の前にぶらさげられた「補助金」をもらうためには、それをすることも許されない。同時にこのルールが、彼ら自身が変化をしないために言いわけする理由にもなってきました。

そんな伝統工芸の世界にも、志のある若者が入ってこないわけではありません。しかし、そういう新人には、驚くほどに厳しい仕事環境が待ち構えています。師匠や上司は「自分もそうだったから」と、無報酬といっても過言ではないような低賃金を提示します。人手不足なので毎年恒例の地域イベントを若手に押し付けて無料で働かせます。そして、コンビニのアルバイトよりも安い賃金しかもらえないので、まともな生活ができません。未来が見えない状況に悩み、若者が辞めるとなると、お金を払う甲斐性が自分たちにないことは棚に上げて「最近の若い奴は根性がない」と彼らのせいにします。「テクノロジーは敵」で、新しい素材や技術を試すことは嫌。やる気のある若者が新しい方法を提案しても基本的には後ろ向き、インターネットで販売したらデザインを盗まれると、過剰に反応して販売方法の見直しもしない。

芸術大学で最新の世界の芸術の動向や、先端技術や知識を学び、伝統産業の世界に飛び込んだ若者たちは、そんな状況に取り込まれて絶望します。特に芸術大学や美術大学では「自由に自分探しをして自分だけにしかできない作品を作ること」を学生に要求します。そんな教育をうけた若者たちが、補助金をもらい続けるために未来への可能性を自分たちで潰している大人たちが溢れる業界に入り、まともな精神を保てるでしょうか。意欲的に制作活動をできるでしょうか。

データを使うと文章が難しくなりがちなので嫌いなのですが、ひとつだけ恐ろしい数字をお見せしたいと思います。一般財団法人伝統工芸品産業振興協会によると、平成二十八年度に経済産業省が認定している伝統的工芸品(二二二品目)の産業に従事する人の数は六万二二六九〇人。全品目を合わせた生産額は九六〇億円とされています。ここから、従事者一人当たりの生産額を計算すると約一五三万円となります。これは生産額であり、利益ではありませんので、実際これらの産業に従事する方々の平均収入はこれ以下ということになるはずです。

国民生活基礎調査によると、この年の日本の貧困ラインは一二二万円。つまり、伝統工芸品の産業にかかわる方々はその仕事だけをしていたら貧困ラインに近い収入しか得ることができないということになるのです。そんな業界に就職したい若者ははたしてどれくらいいるのでしょうか。

私の経験からすると、この六万人あまりの従事者のうちの大半は六五歳以上と断言できます。少ない収入に年金を足してやりくりしています。ですから長く見積もってもあと二〇年もすれば、日本の伝統工芸の大半は失われます。では、どうしたらいいのか。それを考えるためには、日本がこれまでどうやって文化的なものを維持してきたのかを考える必要があります。

エリートな男性がいなくなれば文化は壊れる

先ほど日本文化とされるものがどのように発展し、どのように壊れたかについて、やきものを例にお話ししました。社会の変化は決して止まりません。日常的に人々が使うものほど、社会の変化に対応して変わり続けないと、買う人がいなくなります。とはいえ、文化というものは、売り買いという経済の話だけではないように見えるものも少なくありません。たとえば、宗教の世界がそうです。大半の日本の宗教界には確固たる男女差別が存在します。仏教精神を建学の理念とする女子大学で教えるようになって、この国の女性に対する「ガラスの天井」の分厚さを感じる毎日です。同じことをしていても、女性は男性よりも出世が遅くなりがちであるのが現代の日本の社会です。

人々を一番平等に扱うべき仏教や神道の世界での男性優位の考え方は、社会のシステムの隅々にまで染みわたっているので、マイナーチェンジではどうすることもできません。もしも、日本の僧侶の半分を女性にするという法律を作るとなれば、「日本の伝統文化を壊すな」と大反対されるでしょう。男女の雇用機会を均等にすべきという思想は、芸術や文化の世界となるとなかなか実力を発揮できないのです。

同じような理由で、存続が危ぶまれているものに茶道があります。「道」がつく文化は大抵が危機に瀕しているのですが、わかりやすいのでここでは茶道の話をします。少し長くなりますが、私の授業を聞いた学生から「驚いた」という意見が一番多いお話ですので、お付き合いいただけると嬉しいです。

国内外を問わず、日本をテーマとした文化イベントがあれば高そうな着物を着たお姉さまたちがどこからともなく会場に現れます。茶碗と茶筅《ちゃせん》を使ってしゃかしゃかとお抹茶とお湯をかき混ぜて緑色の液体をお客様にふるまう。相手はそれを「どうしたらいいのだろう」とあたふたしながら隣の人の飲み方をチェック。トロッとした緑の液体を口に入れ、おいしく味わったふりをする。そんな状況を経験した人は少なくないことでしょう。

さて、現代の日本でどれだけの人がそもそも茶筅を使って点《た》てたお抹茶を飲んでいるでしょうか。茶道を習った経験のある人でも、日常的に飲むお茶は、急須や土瓶で淹れたものか、ペットボトルに入って売られているものですよね。それにもかかわらず、この二十一世紀の日本において、相も変わらずこの「茶道」というものは日本の誇るべき文化であると思われています。なぜ、日本文化を発信するイベントで必ずお抹茶を点てようと思うのか。改めて考えてみると不思議ですよね。

すでにここまでこの本を読んでくださった方には、「それはあれでしょ。福澤諭吉の話でしょ」と思っていただきたいです。そうです。日本国政府が茶道を押し続けるのは、明治時代から続く「日本は独自の文化を持っています」と発信するための方法であるということです。

この考え方がはじまった明治とは、現代のように緑茶などの急須や土瓶で淹れるお茶が一般にどんどんと普及していった時代でした。しかし、急須で淹れるお茶の文化は世界的にいえば中国のものです。日本にとっても急須で淹れるお茶は江戸時代の半ばに中国から学んだ新しい文化。ですから、煎茶を日本の芸術として発信することはハードルが高いことでした。
当時の日本人は、粉末状のお抹茶を、茶筅を使ってかき混ぜるというもうひとつのお茶の価値に気づきました。こちらもかつて中国から学んだわけですが、ラッキーなことにこの飲み方を教えてくれた中国ではすでになくなってしまった飲み方だったのです。日本では江戸時代には茶道と呼ばれるようになり、武家のたしなみとして途絶えることなくずっと続いていました。

戦国時代、千利休の時代から「名物」と呼ばれた有名な茶道具を所有することは、エリート武士たちのステイタス・シンボルでもありました。今で言えば、伝説のプロ野球選手のサインボールを集めたり、イタリアの高級車ランボルギーニのすべてのモデルを揃えたりするのと同じことでしょうか。しかし、明治維新後の廃藩置県で、茶道を支えていた武家社会が崩壊します。それまで国を治めていたお武家様たちは、突然将軍や大名から「解散！」と言われ、ただの人になってしまったのです。

京都の幕末を経験した陶芸家に二代真清水《ましみず》蔵六《ぞうろく》という人がいます。彼は明治初期を回想し「廃藩となり、其の頃に日本の舊時の諸事が一變してしまったから、古物を所蔵する家は恥のやうになつてしまつたのであつた。これが爲に古物の売主は多くて買主はなくなる」（『古今京窯泥中閑話』１９３５年）と記録しています。

ここで彼の言う「売主ばかりの古物」とは何を意味するのかというと、それは茶道具や絵画といった、現在我々が日本美術と呼んでいるものでした。以前お話ししたように、美術品を所有するということは、お金に困った時に換金できる資産を持つということでもありました。しかし、幕末から明治初期の変化は急激であるとともに大きすぎました。つい最近まで日本全国をコントロールしていたお金持ちたちが、生活費の足しにと、使わなくなった茶道具を一度に大量に売り払ったのです。多数の茶道具が売りに出ても、誰もほしい人はいないので、価格は暴落。市場に溢れて値段が下がった陶磁器を何千点も買ったのが誰かといえば「縄文土器の名付け親、大森貝塚で有名なアメリカ人のモース」ということになるのです。いろんな話がつながってきましたね。

第4章

日本文化としてのお茶の話

抹茶と煎茶の関係

　メインのトピックである茶道の話をはじめる前に、簡単にお茶についてお話ししましょう。抹茶もウーロン茶も紅茶も同じ種類の木の葉だということはご存知でしょうか。緑茶などに使われる中国種と、紅茶によく使われるアッサム種がありますが、基本的には同じ種類の木です。

　茶の葉というのは、育った場所の違いだけではなく、どの部分の葉っぱを摘むか、いつ摘むか、収穫した葉をどのくらい発酵させるか、そしてどのように乾燥させるかなどで味が全く別のものに変化します。有名な話ですが、発酵をしなければ緑茶になり、途中で止めればウーロン茶になり、完全に発酵させると紅茶になります。こうして世界中の人々が、茶の葉のおいしい飲み方を追求してきたのが茶の歴史です。アメリカ独立戦争のきっかけになった出来事のひとつに「ボストン茶会事件」がありますが、茶が戦争を引き起こすのです。なぜそこまで世界の人々は茶に心血を注いだのでしょうか。

一番の理由は何かといえば「カフェイン」です。脳を覚醒させる成分を体内に投入することによって得られるハイな状態を求めてのことです。「そんな、お茶くらいで」と思われる方もおられるかもしれません。しかしそれは、大量にコーヒーやお茶を摂取する現代の我々だから思うことです。一度も体にカフェインを入れたことのない人が、お茶の粉末をお湯に溶かした濃いドロドロのお茶を飲んだらどうなるか。その効果は夜に寝られないどころではなかったでしょう。

次に、日本人が飲む二種類のお茶、抹茶と煎茶の関係についてです。中国から日本にお茶がいつもたらされたかには諸説ありますが、お茶が飲料として普及するのは鎌倉時代のことだったとされています。中国から日本に渡り、京都に建仁寺という臨済宗のお寺を創設した栄西という人がいます。彼が書いた『喫茶養生記』（意味：お茶を飲むのは体にいい）という本には、茶の効能のひとつに、飲むと目が覚めるので修行がしやすいとあります。こうして、とてもわかりやすい理由で、茶の木の栽培がはじまりました。

《鳥獣人物戯画》を所有していることで有名な高山寺には、明恵という僧侶が日本初の茶園を作り、本格的なお茶の生産をはじめたとされています。飲み方は当時の中国から習ったようです。収穫した茶の葉を蒸して、乾燥させ、すり潰してお湯と混ぜて飲むというものです。基本的には現代の茶道で出される抹茶と同じ飲み方ですが、現代のような細かな粉末ではなかったとされています。

このように、お茶が日本に広がった理由は、修行がつらい仏教の僧侶たちを助けるサプリメントとして流行しました。そして、仏教というのは鎌倉幕府と密接につながっていたので、将軍をはじめとする有力者にも徐々に普及していきました。将軍がすれば、部下たちもはじめます。一度口にすればもう逃げられません。頭がはっきりとして、目の前の情景がキラキラして見え「これはすごい」となります。こうして、室町時代には、権力者やお金持ちが、この緑色の飲み物を楽しむようになりました。

次の時代は戦国時代です。そこでお茶は別の用途に使われるようになります。それが、「戦いに行く前の気付け薬」という役割でした。小さな茶室で、二度と会えなくなるかもしれない同志と共に、ひとつの碗に入った濃い抹茶をまわし飲む。使う茶碗は高いお金を出して海外から手に入れた超レアもの。戦地に向かう前の高揚感、使う道具から得られる非日常感、そして実際に脳に投入される大量のカフェインが合わさり、強烈な感覚を得られる。それが戦国時代に流行した茶道の一面です。

このあたりで、あの千利休が登場します。しかし、彼の話をすると長くなりますし、こういう軽い感じで書いてしまうと、偉い先生方が怖いのでやめます。聞きたい方は私の講演会にでも来てください。

織田信長、豊臣秀吉を経て、徳川家康が天下を統一すると、このお茶を飲むという儀式が武士のたしなみとして定着することになります。由緒ある武家に生まれれば、茶の稽古をし、茶会を催す。そのためには、有名な道具を所有することも必要になります。かつて千利休が持っていた道具を手に入れることができれば最高。こうして、政治を担当する武家のエリート男性たちに支えられ、江戸時代の中ばまで茶道は繁栄しました。しかし、どんな時代・世界でもひとつのものが永遠に栄え続けることは簡単ではありません。戦争がなくなり、本来の存在意義を活用するチャンスがなくなった茶道は、長い時間をかけて徐々に形式的なものになっていったようです。

茶会を開かなければならない有力なお武家さんや、修行に必要な僧侶ならば茶の稽古をする理由も必要もありました。でも出世の機会が少ない下級武士や、商人や農民にとっては、茶道とは生活に必須なものではありません。高いお金を出して高価な茶道具を揃えて、茶会をすることによって得ることのできるメリットもない。面白くなければ、もちろん学ぼうというモチベーションは生まれませんよね。

ただし、お茶から得られるカフェインの効果価は変わりません。江戸時代の後半に茶道の代わりとして流行したのが煎茶です。急須で淹れる、透きとおったお茶のことです。

煎茶のひろがり

煎茶の「煎」の字は煎じる、つまり、煮るということです。粉末の茶葉をかき混ぜるのではなく、お湯で茶葉を煮て、カフェインなどの成分を抽出するというこの飲み方は、江戸時代の中ばから新しくおしゃれなムーブメントとして広がっていきます。

他の多くの文化と同様に急須を使ってお茶を飲む文化も中国から伝わりました。日本にある最古の急須は京都の南、宇治にある萬福寺というお寺にあるとされています。このお寺を創設した隠元《いんげん》という僧侶が中国から持ってきたとされる急須です。その名前からもわかるように、インゲン豆を日本にもたらしたことのほうが有名なお坊さんですね。

江戸時代に日本にいた外国人はオランダ人と中国人で、そのほとんどは九州の長崎にいました。隠元も日本に来た中国人です。長崎にあった仏教寺院から要請をうけて来日すると、日本で大人気になりました。本人は中国に帰りたいのに引き止められてしまい、将軍の徳川家綱から土地を与えられて萬福寺を建てたとされています。結果として、当時最新の仏教と一緒に中国式のお茶の飲み方を京都に伝えることになったというのですが、なかなかすごいストーリーですね。

しかし、煎茶が日本で普及しはじめるまでには、もうしばらく時間が必要でした。流行のきっかけを作ったのは売茶翁《ばいさおう》（意味：お茶を売るお爺さん）という名前で知られる柴山元昭《しばやまげんしょう》というお坊さんです（図20）。彼は、九州で生まれ、禅寺で修行し、長崎で中国のお茶の淹れ方を学びました。後に京都に来て、東福寺や円山公園、下鴨神社の糺《ただす》の森といった景色の美しい場所で即席の茶店を開店。「お代は払っても払わなくても結構、タダより安くはなりません」と書かれた旗を掲げ、たち

図20　《売茶翁》『売茶翁偈語』
国立国会図書館蔵
出典：国立国会図書館ウェブサイト
（https://dl.ndl.go.jp）

まち話題となったといいます。

そんな彼と親交を結んだことが知られている有名人は少なくありません。たとえば、「春の海ひねもすのたりのたりかな」や「菜の花や月は東に日は西に」という句で有名な俳人 与謝《よさ》蕪村《ぶそん》や、細密に描き込んだ鶏の絵で有名な伊藤若冲《いとうじゃくちゅう》は、売茶翁の肖像画を描いたことで知られています。お茶がおいしかっただけではなく、話が面白い彼の下に多くの才能ある人が集まってきたのでしょう。

同じ時期、日本のお茶の歴史にもうひとつの変化が起こりました。それがお茶としての「煎茶」の発明です。「え、今さら何を言っているの?」とお思いの方もおられるかもしれませんね。確かに私はここまで「煎茶」と言い続けてきました。しかし、それは「お茶を煎じて飲む」という方法のことです。茶葉としての煎茶が生まれたのは、江戸時代の半ば、一七三八年のこととされているのです。

煎茶という種類の茶葉の製成方法を編み出した人物として知られるのが永谷宗円《ながたにそうえん》です。摘んだばかりの茶葉を蒸して、そのあと手で揉んで乾燥させるという方法を開発し、それを、江戸の商人山本嘉兵衛に売り込みました。「天下一」と名付けられた青い澄んだお茶は人気となり、全国に広がっていったといいます。ちなみに永谷宗円の子孫には、お茶漬けで有名な永谷園の創業者がいますし、山本嘉兵衛とはあの「上から読んでも山本山、下から読んでも山本山」です（若い人にはわからないかもしれませんが）。

　では、茶道と煎茶の茶会を少し比べてみましょう。我々はお抹茶に多彩な味の変化を要求することはありません。茶道では鉄製の釜で長時間煮た湯を使います。そうすることで湯が多くのミネラル分を含み、お茶の味が安定する効果があるからです。もちろん茶葉の産地で味に違いが生じますが、使う「茶碗」が変わっても、最終的に口にする茶の味にはそれほど変化がないのが特徴です。

　一方、煎茶は、急須の形、茶葉の種類、お湯の温度、待ち時間等で味に相当な幅がでます。「名物」と呼ばれたり、有名陶工が制作した作品はおいしいお茶を淹れるためのテクノロジーの集合体なのです（図21）。急須の名

図21　仁阿弥道八《朱泥急須》京都国立博物館蔵

手と呼ばれる陶芸家は、美しい作品を作る人ではなく、おいしいお茶の味を出せる急須の作者。さらに、同じ道具と茶葉を使っても、淹れる人で味が驚くほどに変わります。

皆さんも、「おいしいお煎茶の淹れ方」と聞けば知りたくなりますよね。淹れる時間が早いと薄く、遅いと苦くなるのが煎茶の特徴。逆に考えれば、そのバランスをコントロールできれば、お茶は自在に甘くも苦くも渋くもなります。そこに「個性」を、「オリジナリティ」を見出すのが煎茶と言えるかもしれません。

元々、煎茶というものは家に遊びに来た友人と語り、絵画や書籍を学んだり、鑑賞したりする時に出されたものとされました。一方、茶道は比較的小さな茶室に入り、道具を拝見し、亭主との対峙を堪能します。茶道のピリピリとした空気感に対して、煎茶はゆったりとした語らいの場を生みだそうとする。言い換えれば、積極的に茶道と対抗するような特徴を持っていたのが煎茶だったと言えます。

学んでもお金を儲けても変わらない世の中

こうして、急須で淹れるお茶の方法が日本に伝わり、澄んだ青い色のお茶の製法が生まれました。では、それが誰に広まったのかを見ると、当時の日本のあり方がよくわかります。まずはこの新しいお茶にハマったのがどんな人々だったのかお話ししましょう。煎茶を好んだ記録の残る有名人に多いのは武家出身の人というよりも、商人や医師です。なぜそうなるかは、中国の「文人」という人々について知り、「文人」に憧れた日本人について知らなければなりません。

江戸時代、日本人が学んだのは、朱熹《しゅき》という人が考えた朱子学や、王陽明《おうようめい》という人が考えた陽明学といった中国の学問でした。当時は海外への渡航が禁止されていたので、中国から輸入した書物に触れても、それを確かめに行くことはできません。こうして、「中国」というファンタジーの世界に憧れを持つ人々が現れます。

特に中国で「文人」と呼ばれた人々の思想に共感を持つ人が目立ちます。「文人」とは裕福な家の生まれで、優れた教養があり、絵画や書、音楽など多芸多趣味でありながら、世間とは距離をとるような人のことをいいます。

「元寇」で日本に攻めてきたことで知られる元や、日清戦争で日本と戦った清という中国の王朝は、漢民族ではなく、北方の遊牧民族が国を支配していました。この時代には、不遇な漢民族出身の人は少なくありませんでした。彼らが詠んだ詩や、描いた絵画にはある特徴があります。才能のある人が国の状況を憂いながらも「どうしようもできない」という想いや、辛い時代でも高潔に日々を過ごそうという気持ちが込められているのです。

彼らの絵画作品の定番に「歳寒三友」があります（図22）。直訳すると「寒い季節の三つの友達」です。さてこれは何を意味するでしょう。大学の授業でこの質問を学生にすると「こたつ」「みかん」「ふとん」というのが代表的な答えですが、もちろんその三つではありません。

答えは「松竹梅」です。日本人にその意味を聞くと「お弁当のランク付け」という答えが一番人気です。これはおそらく日本のお弁当屋さんの創作です。

松竹梅とは、何を意味するのかという問題の答えで次に多いのが「めでたい」という答えです。そう答えた人に私は「まあそうなのですが、ではなぜめでたいのですか？」と聞きます。すると答えられる人はいません。普段、松竹梅をよくモチーフとして使う工芸家さんも、松竹梅を描いた絵画を解説する美術館の学芸員でも、理由を知らずに「めでたい」としか知らない人が少なくありません。ちょっと悲しくなる日本の現状です。

少し松竹梅の意味を考えてみましょう。「寒い季節の三つの友達」ですから、冬に松竹梅がどうなっているかを想像できれば難しい問いではありません。「松」は寒くても青々とした葉をたたえ、雪が積もってもどっしりと枝を大きく広げて立っています。常緑であることは「不老」（老いないこと）の象徴ともされ、ごつごつした樹皮は天を支配する龍の鱗に喩えられる

図22　《雪裡三友図》（重要文化財）
室町時代・15世紀、
京都国立博物館蔵

こともあります。「竹」も松と同じように常緑ですが、天に向かって真っすぐ上に育ちます。しなやかで風が吹いても折れることはありません。その強さにもかかわらず、中は空洞であることが、高潔を象徴するとされました。最後に「梅」です。梅は冬が終わり、春が来る時に最初に花を咲かせます。つらい時代を耐え忍んで、一番に香しい花を咲かせるのです。つまり、寒い冬が終わり暖かい春に向かうことが「めでたい」というのがひとつめです。

さらに文人的に考えると、このストーリーには続きがあります。「寒い時」とは、物理的に気温が低いということよりも、自らの置かれた境遇のことを指しているとも言えます。頑張っても報われない、努力しても評価されない時に松竹梅を描く。その時の心情とは、

「つらい時こそ青々と立っていよう、春が来ることがあれば最初に花を咲かせよう」

ということ。これも松竹梅の意味と考えることができます。どうでしょうか、明日から松竹梅を見る目が変わる気がしませんか。

さて、こういった考え方が響くのはどんな人でしょう。生きている世界を「寒い冬の時代」として捉えるような状況にある人々です。江戸時代は厳しい階級社会でした。武家社会であれば将軍の子は将軍に、下級武士の子は下級武士にしかなれません。さらに商人の子は商人に、医者の子は医者に、農民の子は農民が基本です（もちろん例外はありますす）。いくらお金を稼ごうとも、勉学に励もうとも、そんな社会では届きようのない壁が存在しました。

江戸の後期に煎茶を支えたとされるのは武家出身の人の他に、京都・大坂、そして大きな港のある町の商人や医師がとても多いです。財力や知力など実力がある彼らにとって、まさに江戸時代の後半とは「冬の時代」でした。幕府も藩も財政が厳しく限界に達している。しかし、未来の見えない国を憂えたところで、自分たちには何かできるわけではない。その閉

塞感は中国の古典に登場する偉人たちの苦悩とオーバーラップするものでした。

煎茶大流行

知識とお金のあるエリートたちに絶大な支持を得て、煎茶も含め「中国の文人になりたい」文化は流行し、広がり続けました。一八五八年、日本と米国の貿易条約を結んだのは米国総領事のタウンゼント・ハリスという人です。彼と交渉した日本人に井上清直《いのうえきよなお》という人がいました。一八五七年二月二十四日の夕食後、井上がハリスを煎茶でもてなしたという記録があります。「これまで見た中で最も可愛らしい茶を淹れる道具」と茶道具についてハリスがコメントしています。江戸時代も終盤になると、将軍に仕える武家の有力者にまで煎茶が広まっていたことがわかります。

煎茶流行の中心は大坂・京都でした。田能村直入《たのむらちょくにゅう》という人がいます。彼は田能村竹田《たのむらちくでん》という江戸時代を代表する「文人」の養子でした。日本最初の絵画の学校として設立された京都府画学校（現在の京都市立芸術大学の前身）の初代校長としても知られています。直入は一八六二年（文久二年）に、先ほど紹介した売茶翁の百回忌に「青湾茶会」という茶会を開いたのですが、これがともかく大きなイベントでした(図23)。

茶席は天・地・人の三つに分けられ、それぞれ七席ずつの全二一席に売茶翁ゆかりの煎茶道具が集められました。それぞれの席を四、五人が担当するため、おおよそ一〇〇名が客をもてなし、一二〇〇人以上が参加して会を楽しんだことになります。記録には、会場の外にはそれでも参加できなかった人が数千人もいたと書かれています(田能村直入『青湾茶会図録』1863年)。煎茶会に数千人というのは、現代人の感覚では信じられないことですが、現代のコミケなどを想像するとありえないことでもないような気がしてきます。

コミケで思い出しましたが、茶会の主催者である田能村直入の写真、これがなかなか印象的なものです(図24)。長く白いひげを生やした男性が写っています。注目してほしいのは彼の服装です。白地に黒い襟、黒い帽子は「鶴氅衣《かくしょうえ》」と呼ばれるもので、その意味は「鶴毛の服」ということ。元々は本当に鶴の羽を織り込んでいたという話もあるようです。これは言わば江戸時代のおじさんによる「鶴のコスプレ」なのです。

古来中国では(そしてその文化を学んだ日本では)鶴は仙人を想わせる神聖な鳥です。仙人とは不老不死な上に、変身したり、病気を治したりといったマジカルパワーを持つ人々のことを言います。マンガ『ドラゴンボール』や『NARUTO(ナルト)』でも色々な仙人や、仙人をモチーフにしたようなキャラクターが登場しますね。

図23　田能村直入『青湾茶会図録 巻一』江戸時代・1863年、河内屋吉兵衛ほか、国立国会図書館蔵
出典：国立国会図書館ウェブサイト（https://dl.ndl.go.jp）

図24　《田能村直入肖像写真》1881年、京都市立芸術大学芸術資料館蔵

仙人の世界に住む、または仙人が変化する一形態として考えられていたのが鶴でした。鶴は渡り鳥。大きな白い鳥で、毎年冬の間だけ現れ、どこかに去っていくことから永遠に生きる鳥であり、その飛び立つ先は仙人が住む世界と考えられたのでしょう。そのため日本の美術や工芸に描かれる鶴は「長寿」を意味すると言われるようになったのです。

このような理由から、文人を目指す日本の知識人たちは鶴になろうとしました。まずは外見からということで、鶴と同じように黒い帽子をかぶり白い服を着ます。そして、楽器を弾き、歌を歌い、絵を描き、それを詩にするのです。鶴が何を象徴するかを知ると、童話の「鶴の恩返し」が少し違って見えてきます。さらに、現実世界からの解放を求めるために「コスプレ」をするという行為は今も昔も変わらないのだということがわかるのです。

少し話がずれたので、もとに戻しましょう。この「コスプレおじさん」の田能村直入が主催した茶会の五年後に明治時代がはじまりました。すると、最初に説明したように、全国の政治を担当していた武士というエリート男性たちに支えられていた茶道は厳しい時代を迎えます。しかし、日本人にとってはそれほど大きな問題でもありませんでした。すでにその代わりとしての煎茶と「文人の思想」が新しい国でエリートとなる世代に十分に普及していたからです。

後に、近代の茶道好きとして知られた高橋義雄《たかはしよしお》という人が明治の初期のお茶の世界について語っています。

明治二年に明治天皇が東京に来ると、大勢の役人も東京に集まり家を持った。その頃は文人趣味が好きな人が多かったので、そういった家の装飾もそのようなものになった。

（高橋義雄『近世道具移動史』1929年　著者要約）

というのです。つまり、エリート男性がお金を出すものが、茶道にかかわる道具から煎茶にかかわる道具に変わったとも言えるのです。総理大臣を務めた伊藤博文や大隈重信は煎茶を好んだことで知られていますし、三菱財閥を築いた岩崎弥太郎や、文豪の夏目漱石もそうです。

茶道ではなく煎茶が流行していたことは京都の伝統的な建築とされている町家にも言えます。京都市内の建造物は幕末に相次いだ火事でその多くが焼けてしまいました。そのため、現存する古い京町家は、「古い」と言っても明治時代の初期に建てられたものが多いです。煎茶の時代だったので、建てた当初から茶道用の茶室のある家は少ないです。住んでいる方にお話を伺うと「我が家は煎茶をよくしたので」と説明されます。確かに奥の座敷には大きな床の間があり、中国の、もしくは中国の絵画をまねした日本の水墨画を飾るのに適したものとなっていたりします。でも、煎茶の流行を知らないで、由緒ある日本の歴史的建造物には茶道で使う茶室があるものだと思い込んでいる人々は、「茶室がないんですね」と不思議そうにおっしゃったりするのです。

茶道の復活とお金持ちの話

これだけ流行した煎茶の話を現代の日本人はほとんど知りません。その理由は、以前お話ししたように中国の国際的立場を考えて、日本が「チャイナのコピージャパン」から「オリジナルジャパン」に変身をはじめたことが関係しています。そして、戦後に復活した茶道の歴史を書いた人々が、日本文化としてのお茶の歴史から煎茶の流行を「なかったこと」にしたのです。

この理由を知るために、茶道がどのようにして明治初期のどん底から復活し、現在のように日本文化の中心になったのか、その過程を説明しましょう。他の多くの文化がそうであるように、茶道が復活するために不可欠だったのはお金持ちのエリート男性がかかわるということでした。

明治時代の新しい世代のエリートたちはどんな人々かと言えば、それは一代で財閥を築き上げるような大実業家たちでした。江戸時代には政治的な権力を持つことを許されなかった商人が日本を動かす力に成長していきます。そして、三井物産の初代社長である益田孝（図25）や、福澤諭吉の次に一万円札の顔になる渋沢栄一といった、日本経済界のトップたちが茶道をはじめるのです。

図25　《益田孝肖像》
出典：国立国会図書館ウェブサイト
（https://dl.ndl.go.jp）

彼らが提案した茶道とは、大人数で集まり、政治や社会のあり方について考えを戦わせる煎茶の場とは異なる新しい価値を持つものでした。薄暗く小さな空間の静寂の中、仕事に追われる忙しい日常から離れ、自分の考えや日常を見つめなおす場としての茶道です。さらに、ビジネスツールとしての役割も持つものでした。

日本の文化代表として選ばれた茶道を、復活させ、経済的に支えたのが彼らです。明治時代の半ばから積極的に、かつて「名物」と呼ばれた茶道具の収集を開始。自らの邸宅や別荘に茶室を建て、そこに茶をたしなむ仕事仲間を呼ぶ。新しく手に入れた掛軸や茶碗を披露するだけではなく、密室での仕事の話もできる。海外からの要人が訪れた際には、最高の日本文化体験として、普段は洋装の彼らが和服に身を包み、自ら点てた茶をふるまう。極めて合理的な社交・商談の手段としての「茶道」は、こうして実業家の間で急速に広まっていったのです。

益田は福澤諭吉と同様に、江戸時代にヨーロッパに渡り、日本と欧米の差と日本の芸術や文化の独自性を知ります。彼が茶道をしたということには、日本人が気にかけず、外国人に安く買われていく日本の文化財を保全するという意識もあったようで、以下のように述べています。

私が美術品を集めるのは、むろん自分が好きだからであるが、日本の美術を発達せしめるには、其の標本を大切に日本に保存して研究しなければならぬ。それには自分の力の及ぶかぎり買つておかなくてはならぬ。外国人にどしどし持つて行かれては、手本にしたくてもする物がなくなつてしまふ。

（益田孝『自叙益田孝翁伝』１９３９年）

一方、煎茶はどうなったかといえば、その人気は変わらず続いていました。しかし、時代が進み、日中関係がどんどんとややこしくなるにつれ、徐々に元気がなくなります。特に、日本が憧れの中国に勝ってしまった一八九四〜一八九五年の日清戦争後は「ＷＥ　ＬＯＶＥ　ＣＨＩＮＡ」な人々が減って、「ＪＡＰＡＮ　ＩＳ　ＷＯＮＤＥＲＦＵＬ」な人が増えます。江戸時代に生まれ育ち中国への憧れを持つ人々が引退する年齢になり、明治生まれの世代が力を持ったことも要因としてあったでしょう。

明治時代の後半とは、世界の美術界でも大きな変化が起こった時代でした。中国が清から中華民国となる過程で、皇帝が使用していたような本物の超高級品が世界の市場に出回りはじめたのです。アジアの中心にある大清帝国のトップのために作られたものは、あらゆる意味で優れたものでした。特に陶磁器に使用されていた技術は極めて高く、世界の科学技術者を驚かせます。煎茶をする人はそういった「中国のエリートが使ったもの」を欲しがりました。中国美術は欧米で熱狂的に収集され、価格が上がり、日本人でも余程のお金持ちでもなければ、とても手が出せない値段になっていったのです。

一時は下がるところまで下がった茶道の道具の価格が上がりはじめるのがこの頃です。お金持ちの投資先が中国美術から日本美術に変わったとも言えるでしょう。原因は、茶道の道具が益田のような日本の経済を牛耳るエリート男性たちの収集の対象となったことです。彼らの邸宅には、京都の臨済宗の禅寺と比べても遜色のない大庭園が造られ、そこにいくつもの茶室が建てられました。

富岡製糸場などの製糸業や横浜銀行の経営でお金持ちになった原富太郎《はらとみたろう》という人がいます。彼の家は当時の豪邸のすさまじさを伝えるよい例です。かつての彼の邸宅は横浜市にあり、一七・五ヘクタールの大庭園が一般に公開されています。この「三溪園」には京都や和歌山などから移築した建造物がいくつもあり、重要文化財に指定されているものが一二棟もあります。本当に「広大な」という言葉が当てはまるこの庭園、最近では結婚式場の会場としても貸し出されています。併設の三溪記念館では、原氏にまつわる美術品も展示されています。明治時代の成功者のすごさを知ることができますのでぜひ一度訪れていただきたい場所です(図26)。

エリートが茶道にお金をかけはじめるということは、日本の芸術や文化に関連する経済や産業に相当な波及効果があるものでした。茶道具を売る美術商だけではなく、新しい道具を制作する工芸家、庭師や大工、その先にいる高級な石材や木材をあつかう業者まで潤うからです。そこに、渋沢、益田、原といった巨大な資本を有する大実業家がかかわれば、フォロワーが多数生まれます。彼らと趣味を通じて知り合うことは、その下の世代の実業家たちにとっては事業の可能性を広げるためにはとても大切なことだからです。

明治時代の終わりから多くの若手実業家たちが茶道の世界に参入をはじめます。有名な道具を手に入れ、それを使った茶会を

図26　三溪園　写真提供：公益財団法人 三溪園保勝会

開催し、そこに大実業家を呼び、個人的な関係を築く。皆さんもご存知の企業の創業者で茶道を好んだ人を何人かあげてみましょう。東武や南海といった数多くの鉄道事業を創業し「鉄道王」と呼ばれた根津嘉一郎《ねづかいちろう》、『海賊と呼ばれた男』で知られる出光興産の出光佐三《いでみつさぞう》。大阪では、朝日新聞の村山龍平《むらやまりゅうへい》、阪急の創業者で宝塚歌劇団の生みの親として知られる小林一三《こばやしいちぞう》など、大企業を興した数多くの実業家が、大正から昭和の初期にかけて茶道を日本文化と意識されるまで復活させる原動力となったのです。こうして、エリートビジネスマンの趣味と実益を兼ねた茶道は広がり、江戸時代から何とかそれまで生きながらえていた茶道の諸流派が復活をはじめます。

第5章　美術館が建った理由

美術品を一般人向けに公開する

これまでお伝えした日本の歴史からは、歴史に名を残す美術というものは、主にエリートやお金持ちのために存在してきたということをわかっていただけたはずです。日本は世界的に見ても美術館の数が多い国として知られています。お金持ちのためのものにもかかわらず、一般向けに公開することが目的の美術館がなぜこれほどまで増えたのでしょうか。

前に説明しましたが、国内外を問わず、優れた美術品というものは、まずは宗教施設か権力者が持っている建物に集まります。権力者のプライベートな家に飾られているものは公開されないので、一般人の目に触れる美術品というのは、宗教施設に飾られた宗教関連の美術がほとんどです。

では、いつから優れた美術品が一般に（と言っても身分を問わず誰でも可能というわけではありませんが）公開されるようになったかというと、世界的にはフランス革命後にルーブル宮殿（現在のルーブル美術館）で、ルイ一六世が所持していた美術品などが公開されたことであるとされています。一七九三年のことです。ヨーロッパでは、その後、現在の美術館のような施設が少しずつ増えていきます。ちなみに、ヨーロッパで博物館が生まれた理由というのは、美術館とは少し違います。でも、日本では美術館も博物館も西洋化の過程で欧米にあるから作ったというのが存在する理由です。そういうわけで日本のお話をする時は、美術館も博物館もあまり区別せずにお話しします。

一般の人々が美術をどこで見ることができたかを、私たちの国で考えてみましょう。実家のお墓があるお寺が有名な画家の作品を持っていれば、優れた絵を見ることはあったでしょう。これは欧米の教会で有名画家のキリストの絵を見るのと同じことです。しかし、天皇が住む御所や、将軍たちが住む城には一般人は入ることはできません。その内部を飾る、日本一の画家たちが全力で制作した芸術品を身近に見ることができるのは特権階級の人々だけでした。

「一般人が優れた美術品を見る機会が全くなかった」というのは、ちょっと言いすぎかもしれません。京都の祇園祭で現在も行われている行事に屏風祭というものがあります。鉾や山を出している一族が秘蔵している絵画や工芸品などを、お祭りの期間に公開するものです。他にも、古美術商の店頭などでも優れた作品を見ることはできたことでしょう。ただし、こういったことは京都のような都市に限ったことで、全国規模で見れば一般人の生活からは程遠いものでした。

美術館という名前の建物が日本で最初に建ったのは、一八七七年の第一回内国勧業博覧会で建設された「美術館」です（図27）。それが元となって帝室博物館（現在の東京国立博物館）になりました。一八九五年に帝国奈良博物館（現在の奈良国立博物館）、一八九七年には帝国京都博物館（京都国立博物館）が開館しました。いずれも日本の絵画や彫刻（仏像）、工芸品が展示されました。

図27　《美術館之圖》『明治十年内国勧業博覧会場案内』1877年、国立国会図書館蔵
出典：国立国会図書館ウェブサイト（https://dl.ndl.go.jp）

一九二〇年代になると公立の美術館が建ちはじめます。戦争の前に開館したのは東京府美術館（現在の東京都美術館）、京都市美術館、大阪市立美術館ですが、東京と京都は、公募展（作品を応募して優秀作品を選ぶ展覧会）などの会場として、当時活動していた芸術家の作品を並べるのが目的でした。東京・奈良・京都・大阪以外の都市では、一般人が歴史的な美術品を日常的に目にすることができる場所はなかなか増えなかったのです。これは四七の都道府県すべてに公立の博物館や美術館が必ずある現在とは全く異なる環境です。それだけ、美術館を持っていないという地方の指導者たちのコンプレックスは大きかったのでしょう。その反動で「バブル経済」と呼ばれた金余りの時代に全国に美術館が建ちまくるという結果となりました。「我が町にも文化を！美術を！」を合言葉に、お客さんの入館料収入だけでは絶対に返せない額の借金をして多くの美術館・博物館が建てられました。

文化庁の報告によると、昭和六十二年に二三一一館だった日本の博物館数は増え、平成三十年時点で五七三八館です。中でも最も増加しているのが歴史博物館で、その数は倍増しています。しかし、国や自治体の借金が問題となっている昨今。お金がかかるだけで経済に役にたたない博物館のような文化施設は閉鎖されることはまだ少ないとはいえ、維持のための費用は削られ、老朽化しはじめている建物の改修や再建は進みません。さらに、歴史的な資料というのは、必ず増え続けるものです。近い将来、これらの増え続けた博物館や収蔵庫にある大量の歴史資料をどうするか、本気で考えなければならない時が来るはずです。

資産家たちの美術コレクション

明治時代に優れた美術品を所有した人たちとは、江戸時代に権力を持っていた公家や武家、そして有力寺院でした。社会の仕組みが変わり収入源をなくしたために、生活が苦しくなって売りに出る美術品も少なくありません。そういった作品は、ボストン美術館の陶磁器コレクションを作ったモースや日本の絵画コレクションを作ったフェノロサのような外国人が買う。もしくは、新しい国をコントロールする立場になった政治家や実業家たちが手に入れました。

日本の有力者たちが買い集めたものは公開されることよりも、新しいオーナーの家を飾ったり、資産として蔵に入れられたりすることがほとんどでした。そういった貴重な作品を見ることができる場所といえば、彼らが主催する煎茶・抹茶の茶会くらい。美術品は資産でもありますから、持っているものをむやみやたらに展示するのは危険なので当然のことです。セコムやアルソックのような防犯警備会社もない時代です。

茶道具を集めた人々は、有名な茶碗や茶入を所有していても、見せたがらない人が多いです。お茶の世界では、茶道具を美術館や博物館のような場所で不特定多数に見せることを「目《め》垢《あか》がつく」と呼び、嫌います。それはなぜでしょう。まず、掛軸のような紙や布を素材とする作品は使うと傷みます。こすれたり、しわができたり、のりが剥れてきたりします。修理するにはお金がかかります。有名な作品を手に入れたことを隠しておいて、とっておきの茶会に使い客人を驚かせるという目的もあります。そういうわけで、日本における美術品とは、大コレクターから招待を受けて、それが公開される場に立ち会うことのできるエリートのための作品であり続けたということになるのです。

しかし、明治時代は近代化・西洋化の時代でもありました。欧米で美術品が広く一般に公開されていることを知る人々が、それにならって「地域の文化振興のために」と個人コレクションを公開することも大正時代から徐々にはじまりました。日本で最初の私立美術館は帝国ホテルの創業者として知られる大倉《おおくら》喜《き》八郎《はちろう》が一九一七年に創設した大倉集古館とされています。現在も東京のホテル・オークラに隣接する場所にあります。他にも、一九三〇年、西洋美術を中心に展示する日本初の美術館を岡山県倉敷に創設した大原孫三郎などがいます。とはいえ私財を投じて収集した美術品を、不特定多数の人に見てもらおうとする人は少数派。本当の意味で日本に美術館が増えるのは、第二次世界大戦後まで待たなければなりませんでした。

戦争と戦後の税制が美術を所有する人を苦しめる

何度も言いますが、お金持ちは何かあった時のために、自分のお金をさまざまな形にして保管しています。現金や預金の他にも、土地といった不動産、株などの有価証券、そして美術品に変えて所有しています。事業がうまくいけばいくほど、資産は大きくなりますし、本人にとってそれは基本的には喜ばしいことです。いや、喜ばしいことでした。それが変わるのは第二次世界大戦で敗戦したことがきっかけです。

終戦後の日本に起こったお金持ちにとっての大事件は、連合国から提案された「富の再分配」です。近代化を進めた日本では資本主義の弊害といいますか、お金持ちはどんどん金持ちに、貧乏人は相変わらず貧乏人に、というような社会になっていました。その格差をなくすためにお金持ちから資産を取り上げて、お金のない人に配るシステムを構築するべきとの命令が敗戦国である日本に突きつけられました。

現代の日本人は平等第一主義の世の中で育ったので、平等はすばらしいことと捉えます。

しかし、「平等」を追求すると芸術や文化の担い手は減ります。残念ながら、芸術や文化とはお金持ちのためにあり、お金持ちが支えるものだからです。平等にするために新しく作られたルールとは、お金持ちから資産を没収する税金を制度化することでした。敗戦し、連合国に占領された日本で施行された財産税と、連合国に命令された相続税がそれです。目的は資産家への富の集中を防ぐことが目的だったとされています。

財産税とは当時一〇万円以上を保有している個人の資産にかけられた税金でした。たとえば、先ほど登場した益田家は、美術品も含めて保有している資産の八割以上を没収されたと言われます。ちょっと信じられないことですが、たとえば一〇〇億円持っていたら八〇億円が問答無用で取り上げられるという話です。この財産税が発端となって、益田孝が長年集めた茶道具や日本美術のコレクションは売却されてばらばらになってしまいました。この他にも、何人もの有名アートコレクターのコレクションが財産税を契機に売却されました。

財産税に加えて、相続税も連合国の占領下で提案された税金の改革案に従って導入されました。死亡した人が持っていた財産をその家族などが受け取る時に、その額の一部を国に税金として納めるというものです。この法律では資産があればあるほど、それを相続した人々にかかる税金は大きくなります。もちろん所有する美術品にも税金がかかります。一九五一年に施行された相続税の最高税率は九〇パーセントという驚くほどに高い税率でした。その後、最高税率は七〇パーセントまで引き下げられています。現在は六億円以上を相続した人に最高五五パーセントの税率がかかります。つまり相続した額の半分以上を税金として納めなければならないということです。これはなかなか大変なことで、資産家を常に悩ませている法律です。

お金持ちの資産を積極的に減らす法律が作られた目的は、戦争中に得た利益を没収するためでした。しかし現実は、戦争で悪事を働いたかどうかにかかわらず、全国の資産家と呼ばれる人々は相当な財産を没収される結果になりました。それは戦争に負けたので逆らいようのない結果でした。

そして美術館が建つ

「財産税」と「相続税」という二つの税金が日本の芸術にもたらしたものはいくつかあります。ポジティブな結果としては、一般人が目にすることのできる美術品が格段に増えたということです。日本は美術館の数の多さでいえば世界で五本の指に入ります。それは、戦後に各地に設立された、資産家のコレクションをもとにした私立美術館と、バブルの時に有り余

る お金で全国に建てられた公立の美術館・博物館によって実現しました。
なぜ、これまで公開に積極的ではなかった多くの資産家が、保有する美術品を公開するようなことをしたのでしょう。その理由はまず「地域の文化振興」ということになっています。しかし、特に私立館の設立の背景には、長年かけて収集したコレクションをバラバラにしたくないという想いがあります。さらに資産として計算される美術品にかかる相続税の回避という目的もありました。

価値があるものの評価基準のひとつに希少性というものがあります。収集した美術品というものは、お金があっても簡単に買えるものではありません。「それしかない」のに、欲しい人がたくさんいれば値段は高くなります。かつてあるアメリカ人の富豪コレクターが私に「コレクションとは私と作品との偶然の出会いの結果」と話していたのが思い出されます。

そんな偶然の出会いの結果として完成した貴重なコレクションであっても、コレクターが亡くなると相続する権利がある家族に平等に分配されます。それも国に納めなければならない税金の額はコレクション評価額の半分以上。「そんなお金払うくらいなら、おじいちゃんが集めていた古くてよくわからないモノは処分しよう」となりがちです。故人の趣味に興味のない家族というのは時に残酷なものです。

もちろん、きちんとコレクションの価値を理解し「おじいちゃんの集めた美術品はきちんと残そう」と言う家族もいます。ただし現実問題として、そうすることは簡単なことでもないのです。なぜなら、何十億、何百億円もの価値のある美術品を相続して、美術品を売却しないで、相続税を払って、さらに美術館を建てるだけの資金を持っている人は多くはないからです。

もしも期日までに税金が払えなければ、どんなに愛着を持っていても、その美術品は売ってお金に換えるしかありません。さて、ここで質問です。「自分の死後に家族がコレクションを維持できないとわかったら、あなたならどうしますか？」どうにかして維持したいですよね。そこで生まれるアイデアが「美術館を建てよう」ということなのです。

戦後の一九五〇年代に現在のような相続税が施行されてから、数々の有名私立美術館が開館しました。基金と美術品をもとに公益（地域の文化振興など）を目的として財団法人を設立し美術館を建てる。自分や自分の家族がその財団の理事になれば、コレクターが亡くなっても相続税は発生しません。さらに公益目的のための寄付行為には相続税はかかりませんでしたから、新たに集めた美術品もその美術館に寄付する限り税金はかからない。

こうして「財団が維持されている限り美術コレクションは維持される」という美しいシステムができあがったのです。結果として日本には多くの私立美術館が生まれました。入館料さえ払えば誰でもあらゆる美術品の実物を鑑賞することができるようになりました。エリートのためだけのものであったはずの日本美術という文化を国民全体でシェアできるようになったのです。

一方、相続税が日本という国にもたらしたネガティブな結果とは何でしょう。それは、江戸時代からさまざまな意味で美術を守ってきた資産家から、それを引きはがしたこと。そして、戦後の新しいエリートたちも、美術品というかたちで資産を貯めるということを敬遠するようになったことです。美術館を建てるという夢があるのならば、大きな美術コレクションを作ることに意味はあるでしょう。しかし、それに興味がなければ、将来巨額の税金を納めなければならない美術品を多数所有することに積極的になれない気持ちはよくわかると思います。こうして、日本文化を支える役割を与えられるはずだった若いエリートたちは、日本美術を収集する楽しみから徐々に離れていったのです。

茶道が儀式になった時

気づいたら美術館の話になっていたので、お茶の話に戻しましょう。ここまでのお話で皆さんに伝えたかったことは、茶道は常にエリートの男性によって支持されてきたということです。これは途中で茶道から一時期地位を奪うことに成功した煎茶でも同じことでした。少なくとも戦前までは、日本文化としての茶は男性のものでした。ではなぜ、私たちが今「茶道」と聞いて思い浮かべるのは、高級な着物をお召しのご婦人たちなのでしょうか。そうなった理由のひとつ目は、戦後、茶道は華道などと共に「花嫁修業」として学ぶべきお稽古になったということがあります。

明治時代に実業家が茶道をはじめるようになったことは大きなことでした。実業家がはじめると、彼らの家族もお茶をはじめます。そして、良家の子女のたしなみとして女学校で茶道が教えられるようになりました。戦後になると、女子高・女子大を中心に全国に茶道部が創部され若い女性に普及していきます。現在の茶道を支える女性たちのほとんどは戦後にお茶をはじめた人々です。数百万人もいるとされる日本の茶道人口の大半はこうして女性となったのでした。

彼女たちが茶道に求めたこととは、かつてのエリート男性たちとは異なるものでした。戦国時代のように戦地に向かう前に同志とひとつの器でお茶をまわし飲むためではありません。有名実業家と密室で会談をすることでもありません。目的のほとんどは「お茶を点てるルールを身に着けている教養ある女性」となり「よき妻」になることでした。一応言っておきますが、私はそれが正しいことだったかどうかの話はしていません。戦前・戦後とはそういう時代だったということをお話しししているだけです。

　こうして相当な数の女性が将来の生活の質向上のために茶道のお稽古に殺到すると、悩ましい問題が起こります。それまでは人の上に立つような男性たちの趣味ですから、そこまで厳格なルールがあったわけではありません。しかし「花嫁修業」となれば話は違います。女性たちの要請に応えるためには、一人ひとりの技術・知識が、どのレベルに属しているかを認定することが必要となりました。流派によって名前は色々ありますが、いわゆる「茶道レベル認定書」の発行がはじまったのです。

　流派によっては日本全国だけではなく世界各国にも稽古場ができました。すべての場所で同じ基準で判断し、条件を満たした人を昇格させていく方法が生みだされて広まります。公平にジャッジしなければなりませんから、茶道に関するすべての知識や作法の「正しい方法」が厳格に規定されました。そして、そのルールを体に覚え込ませた優秀な人材だけが、成功への階段を上がれるわけです。前にも伝統工芸のお話で触れましたが、厳格に規定し変更を許さないルールは、すぐに「なぜそうなのか」よりも「そう決まっているから」が重要になります。

　言い換えれば、お茶を飲む時になぜ茶碗を回すのか、なぜ茶を点てたり飲んだりするのに扇子が必要なのか、なぜ着てはいけない種類の着物があるのか等々、普通の人には理解できないルールに「なぜそうなのか」ではなく「そう決まっているから」と教えるようになります。すると、その結果生まれる茶道は、戦前のエリート男性たちがかつて楽しんだ「趣味」ではなく、予定通りのことを繰り返す「儀式」に変わってしまいます。ちなみに、この茶道の成功を見て、煎茶も煎茶道としてお稽古をはじめましたので、このお話は茶道に限ったことではありません。多くの「道」の付く文化に共通することです。

全国で大勢の女性たちがこのルールの中でレベルアップを続けると、お茶会に大挙して押し寄せるようになります。そうすると、次に何が起こるかは火を見るよりも明らかです。明治時代にエリート男性が価値を見出し、復活させ、自分たちのアイデンティティーとして持っていた茶道が「変質する」のです。現代的な例を挙げれば、世界中から大挙として押し寄せて来た観光客によって、京都が「観光公害」と呼ばれるような状況になったのと同じようなことです。増え続ける「数」に対応するために、配慮が、余裕が、なくなっていくのです。

すでにお茶の世界にいるエリートは支持者やファンが増えるので幸せです。しかし、若い世代のエリートは、理由のわからないルールを記憶しないといけないし、偉そうにふるまう年上の人ばかりだし、楽しいわけがありません。有名なお茶の道具はすでに美術館に入っていて手に入らない。高いお金を出して買ったところで、評価をしてくれる同志はいない。仕事で忙しいのに、まともな茶会をできるまでレベルアップするにはとてつもない時間がかかる。どこにいっても細かいルールにうるさい女性ばかり。こうして、新しい物好きの、資産あるエリート男性は「伝統文化」になった茶道を含めた多くの文化から離れていったのです。

お茶の次

戦後、新しい世代のエリートたちは徐々にお茶を代表とする文化から離れていきました。では、日本の政治・経済を支える新しい世代のエリートたちが代わりにはじめたものは何でしょう。それは、茶道とは対極にあるように見えるものでした。そう、ゴルフです。

日本で最初のゴルフ場はイギリス人が神戸に作った神戸ゴルフ倶楽部です。こちらもやはり明治時代に日本に紹介されたのです。その後も、欧米人の要請に応じて国内のゴルフ場の数は増えていきます。たとえば京都で最初のゴルフ場は、進駐軍の要請を受けて敗戦後の一九四八年に日本で最初に開業した京都ゴルフ倶楽部上賀茂コースです。

このコースなかなかすごいところです。驚くべきことに、上賀茂神社の神様が降臨したという山を切り開いて造成されたのです。神社の境内を流れる明神川はコースを流れた後に神社に到達したりします。こんなことが許されたのも戦争に負けたから。京都にいた米国の進駐軍が「ゴルフしたい」と言ったからです。

連合国の占領が終わり、日本がまた独立国として歩みだすと、残されたゴルフコースで遊びはじめる人たちがいました。それが、戦後の新しい世代の実業家たちです。ゴルフは茶道と同じような機能を持っていました。会社の経営者や重役たちが朝早く少人数で集まり、半日一緒にコースを周り、昼食も共にします。プレーが終われればクラブハウスに併設された風呂で一緒に汗を流します。これは、茶道が密室でのビジネストークの場になりえたことと同じ。半日、取引先や同業者と少人数で同じ時間を共有できるわけですから。

さらにゴルフはイギリスから紳士のスポーツとして伝えられ、一緒に周る他のプレーヤーに対する思いやりも必要です。茶道が提示していた文化人のイメージとは少し違いますが、「プレーする人はある程度の資産があり、教養も高い紳士である」そういうイメージがつく素敵な趣味でもありました。

一九七〇年代から八〇年代にかけて日本人プレーヤーが世界で活躍するようになるとスポーツとしてのゴルフも注目を集めるようになり、全国にゴルフ場が建設されていきました。このゴルフの普及が、茶道から若い実業家が減っていくタイミングで起こったのです。九〇年代までブームとして若手からおじさんまでの実業家やサラリーマンまでを熱狂させたゴルフ。それが終わったのは、伝統工芸と同じようにバブルの崩壊でした。

現在、ゴルフ場は閉鎖されることはあっても増えることはなく、未来が暗い産業の象徴のようになっています。幼少期から英才教育を受けた優秀な若者が世界で活躍し、会社経営者の子供たちの中には子供の頃から「会社のために」ゴルフを教え込まれた人もいます。しかし、それは戦後の茶道が辿った道と同じように、離れていく新たな世代のエリートを引き留める力はもう持たないように私には見えます。

そして日本美術を買う次世代エリートがいなくなった

エリート男性がゴルフに熱狂し、かつて彼らのものであった茶道・華道が戦後に女性のものになったことは、日本の芸術の世界の弱体化をすすめました。特に致命的であったのは、ゴルフをプレーする時に、茶道や煎茶が持っていた日本という国を理解するための教養を必要としなかったことがあります。他方、それを担うことを期待された女性の多くは、茶道のルールを身に着けることを目標とし、その周辺にある美術の鑑賞や収集には手を出しませんでした。というよりも、お金がかかりすぎるので手が出せませんでした。

その結果は悩ましいものでした。美術や芸術を鑑賞するための初歩的な知識でさえ、次の時代のエリートたちに伝えられなかったのです。エリートも非エリートも含めた大半の日本人にとって「松竹梅」はお弁当の上中下を表すものになりました。普通の日本人は床の間にかける掛軸の掛け方も巻き方も知りません。

前にもお話ししたように、煎茶も茶道も、お茶を飲むための仕組みではなく、その周りにある建物、道具、庭園、すべてを「きちんとする」という機能を持っていました。お茶の人口が減るということは、その周辺もふくめた文化にかかわるすべての人が減る結果を導きます。

江戸時代から続く日本のお茶の文化を見てみると、現在の日本の芸術分野が抱える問題のはじまりが見えてきます。それは、エリート男性の仕事にとって大切な場所であった茶を飲む場所が、変化し、失われていくストーリーです。彼らがお茶を楽しめなくなった時、ゴルフを楽しいと思った時に、日本美術を鑑賞する目と知識が失われはじめました。

お金持ちのエリート男性がいなくなると、美術や芸術も含めた「文化」は壊れます。そして、いったん壊れた文化は「伝統」という前置詞を付与されて、衰退の道を歩みはじめるのです。復活のためには、もう一度エリートたちが日本文化の価値を見出し、それを楽しみ、笑顔でお金を使ってくれなければなりません。

若い学生のほとんどは、茶筅でお抹茶を点てないのは当然のことですが、急須でお茶を淹れるということもしません。ペットボトルという新しく便利で素晴らしい文化が普及したからです。しかし残念なことに、これまでのお茶とは違い、ペットボトルのお茶をより楽しむための周辺の文化や芸術は発達しませんでした。教養を必要とせず、誰にでも簡単にアクセスできることが求められたからです。こうなった理由は、戦後の日本の文化芸術に関する教育のあり方に責任があります。では、ここからは、先ほどお話しした美術館・博物館についてもう少し考えてみたいと思います。

第6章
一般人に厳しい美術館・博物館

駅で魅力的なポスターがふと目にとまり、行ってみたくなった展覧会。休日、朝から準備をし、家を出る。電車と徒歩で会場となっている美術館につくと、チケットを買うために並ぶ人々の列。「結構人気なんだ」と自分の判断を認められた気持ちで嬉しくなる。チケット売り場に書かれた入場料を見ると大学生一〇〇〇円。「え、そんなにするの?」と思う。でもわざわざここまで来たわけだから帰るわけにもいかず、もじもじしているうちに自分の番が来た。「大学生一人」と言って学生証を提示してお金を渡し、カラフルに印刷されたチケットを受け取る。「この紙切れが一〇〇〇円以上か」と少しだけ重たくなった気持ちを抱えて会場へ。

入口でチケットを渡すと、二〇〇円分くらいの面積をペリペリと切り取られて、残りを返される。この頃には気持ちも持ち直し「さあ会場に入ろう」としたところで左手から突然「音声ガイドいかがですか」と呼び止められる。有名な俳優さんの声で展覧会が解説されているようだ。「あ、いいかも、え、五〇〇円。入場券と合わせて一五〇〇円か。やめておこう」また少し盛り下がった気持ちで展覧会場に。

一室目をじっくり見て二室目に入った頃に心の底から湧いてくる「なんか想像していたのとちがう」という感情。説明の意味がわからない、私をときめかせたあのポスターの作品は見つからない。「周りの人はみんなわかっているのだろうか、わからないのは自分だけだろうか」と不安に。理解ができないので、展示を見るスピードはどんどん速くなる。たまに気になる作品の前で立ち止まってはみるけれど、解説を読んでもやっぱりよくわからない。ふと気づいたらもう出口。

売店には二〇〇〇円以上する展覧会図録が山積みになっている。「そんな高いの買えないよ」と思いながら記念に一五〇円のポストカードを手に取ってみる。しばらく考えた後「やっぱりやめた」とそれを元あった場所に戻す。レジに並ぶお金のありそうなおばさま方を横目に、もやもやとした気持ちを胸に抱えたまま展覧会場をあとにする。

仕事柄、展覧会場で過ごす時間が長いので、来館者の背中からにじみ出てくる疑問の数々を感じる力がつきました。実際に「意味わかんない」というつぶやきが耳に届くことも少なくはありません。カップルで来ていたら入場料だけで二〇〇〇円です。それだけ払って意味のわからない時間を過ごすなら、休日の過ごし方の他の選択肢、たくさんありますよね。

最近の学生はお金がありません。私が大学生をしていたのは二〇年以上前のことですが、その頃と比べて今の学生が自由に使えるお金は確実に少ない印象を受けます。親からの仕送りが過去最高だった一九九四年にくらべて二〇一七年は三割も減っているという調査もあるそうです（『日本経済新聞』二〇一七年四月五日）。

世の中の美術館・博物館は大学生に大人料金を求めます。大学生価格が設定されていても中高生よりは高い料金を請求されます。ほぼ大人の扱いです。中学校・高等学校できちんとした美術の教育を受けて、中高生よりも大学生は展覧会を楽しめると言うのであれば、この入館料の差に納得できるかもしれません。しかし、美術の鑑賞の方法を教わったことのない貧しい大学生が、二食分くらいにはなる一〇〇〇円近くのお金を出すのはとてもハードルが高いものです。国立博物館の常設展であれば比較的安く入館できると言いたがる人もいるかもしれません。しかしそれでも四〇〇円もします。

「外国はこんなに素晴らしい!!」というのはあまり好きではありませんが、私が留学していたイギリスの国立美術館、大英博物館やヴィクトリア・アンド・アルバート美術館など、国立の館の常設展は無料でした。大学の隣が大英博物館という好立地にあったので、授業が終わると、その日の部屋を決めてゆっくり眺めるというのを週に数回していました。毎回新しい部屋をひとつ見る。こうして「大英博物館は全部見た」と言えるくらいに通いました。どこにどんな作品が並んでいるかだいたいは把握しています。見たものを基準に、頭の中で他のものと比べることができます。日本ではできない経験をイギリスでさせていただいたことにとても感謝しています。

そういう経験をした立場から言えば、日本の学生は学んでいる分野にかかわらず、文系でも理系でも、もっと本物の芸術に触れる機会を持つべきです（そこに私のように理解できる言葉で目の前にあるものがなぜ面白いのかを教えてくれる人がいれば最高です）。芸術の知識、特に日本固有の美術の知識を持つと言うことは、彼らが海外に出た時に財産になります。日本が文化的な独自性を保つためにも必要な物です。お財布に入っているお金のことを考えて、それをしない学生が多いのは悲しいことです。入場料を決めている偉い先生方にはぜひ考えていただきたいものです。

さて、特別展なら一〇〇〇円ほどのお金を払い、入場をした展覧会が面白くない。その理由には色々とあります。美術の見方がわからない問題は、徐々に知識をつけて解決していくしかありません。そこでここでは、その他の一般庶民にはどうしようもない問題について話してみましょう。それは「展覧会の説明が難しすぎる問題」です。

展覧会を難しくする学芸員のキャリアパス問題

美術館・博物館の説明がわからない。その理由は、文章を書いている人が想定している読み手が、普通の日本人ではないことが多いからです。書き手が誰かといえば、多くの場合は「学芸員」という資格のある専門家です。大学で規定の授業を学んで、博物館で実習をすれば資格を取ることができます。実際に私も大学で博物館学芸員の授業を担当し教えています。

展覧会の文章の書き方として私が学生に伝えるのは「読む人の気持ちを考えて書きなさい」ということです。自分の知識の深さをひけらかすような書き方をすると、読み手は一行目を読んだ瞬間に「意味がわからない」と、脳の入口にあるシャッターを下ろしてしまいます。「これは私には役に立たない」と思われたらそこで終わり。つまり、たった一〇行の文章でも最後まで読ませる努力をしなければ誰も読んでもらえないものです。

残念なことに私がそういう意識を強く持った学生を育てても、彼女たちの文章が皆さんの目に触れることはまずありません。巨額の経費をかけた大展覧会の文章を書く立場になるのはとても難しいのです。国立や有名な公立・私立の美術館の学芸員はいわゆる有名大学の大学院を出ている人ばかりです。素晴らしい知識を持った人々から、さらに厳選されたエリートの集まりです。

言うまでもありませんが、私は有名大学を出ている方が問題だという気持ちは全くありません。ただ、彼ら全体をとりまくシステムが、展覧会をつまらなくする原因となってきたということを言いたいのです。

大学で資格を取得して、すぐに学芸員として採用される人はとても少ないです。まずは、大学院に進み、自分の専門分野を決めます。そして、どこかの美術館や博物館で学芸アルバイトやインターンをして実務経験を積みます。大学院で修士号や博士号をとれそうな頃に就職活動をして、小規模や中規模の館での採用を目指します。ここでいきなり国立博物館に決まる人がいないとは言いきれません。しかし、その人たちは本当に選ばれた人たちで、採用される人数を考えれば司法試験に通るよりもはるかに高いハードルと言えます。

まずは入り口に立つ意味でも、実際にどこかの館で学芸員として採用されることが大切です。そこからより大きな館にステップアップするのが普通ですが、その階段を昇るために必要なのは、評価される展覧会を企画するということ。しかし、ここでの「評価される」の意味は「来館者が楽しむ展覧会」ではなく「専門家が感心する展覧会」のことを言います。この「専門家が感心する展覧会」になるためにはいくつかのポイントを押さえなければなりません。

まずは「新発見」をすることです。これまで多くの優秀な先生方が研究をしてきた有名作家なのに誰も知らない作品を発見できれば最高です。上手に発信すれば、偉い先生が展覧会を見に来て、名前をおぼえてくれるからです。「新発見」に必要なのは運よりも、骨董屋さんやアートディーラーさんたちと仲くなって情報を集めたり、有名芸術家のご親族と関係を築いたり、古い文献を調べて有名作品の現在のありかを調べたりという作業が必要になります。それが上手にできれば「彼／彼女はよく研究ができる」と認識されるようになります。

次に大切なのは、その展覧会が偉い先生方の評価に値する内容かどうかということです。言い換えれば「ルールに沿っているか」が問われます。ニセモノと思われる作品を展示していないか、タイトルや説明文の内容がきちんとしているか、歴史的背景がきちんとおさえられているか、といったことです。これといった新しさもなく、内容に間違いがあれば、偉い先生方から厳しい指摘が待っています。こうして堅実で間違えることのない「あるべき情報」を発信するエリートを選抜するシステムができあがっているのです。最近ではここに、来館者数の多寡という基準も加わりました。担当した展覧会に何千人ではなく何万人、何十万人と入ったら最高です。

これを見れば皆さんが楽しめる展覧会をする人が増えないのは当然だとわかるでしょう。そもそも皆さんにとってはとても残念なことに、学芸員の世界とは、「一般の人々の面白さ」を最重要とする世界ではないのです。

私の知る限りでは学芸員さんは皆さん真面目で優秀な方々です。それも、エリートなのに「自分の好きなことを仕事にしているのだから」と、とっても安いお給料で働かされている人が少なくありません。さらに、バブル経済が崩壊して以降、文化にまつわる予算は削られ続け、まともな展覧会を作る予算がないことがほとんどです。その中で、「一般の来館者が楽しむ展覧会」と「専門家が感心する展覧会」を両立するという解決しようのない矛盾の中で常に悩んでおられます。でもシステムは変わりそうにない。なぜなら、「明治時代から続くルールを継続し続けなければならない」という圧力が上の方からかかり続けているからです。そうして日本の美術・芸術は面白くなくなってきたのです。

日本美術作品のタイトルがわからない

日本の美術品が並んだ展覧会。タイトルは何だろうと作品の手前に置かれている解説には難しそうな漢字が連なっている。それを見た瞬間に「知りたい」「学びたい」という気持ちが萎えた方いますよね。「カスタマーエクスペリエンスの向上」とか、世間的には常識になったアプローチが存在しない世界へようこそ。ここでは、学芸員さんのキャリアパスの話から続けて、なぜ文化財の名前はああなっているのかというお話をしたいと思います。

日本人が本気であらゆる美術品にタイトルを付けはじめたのは明治時代の後半くらいのことでしょうか。歴史ある「あるべき作品名の付け方」が現在まで脈々と受け継がれています。このルールは当時としてはとてもわかりやすくなるように考えられました。まず素材と技法を、次に何が描かれているかを書きます。場合によっては屏風など最後にどんな形状かを説明する語も含まれることがあります。

たとえば俵屋宗達の国宝《風神雷神図屏風》は「風神と雷神が描かれた屏風」ということですね。これは簡単です。では国宝《舟木本洛中洛外図屏風》(図28)はどうでしょうか(作品については Google 先生に聞けばどんなものがすぐわかります)。「舟木本って何かの本?」「洛中洛外ってなんだろう?」と疑問を抱かれる方は少なくないと思います。簡単に説明をすると「舟木さんの家に伝わった京都の市内と市外を描いた屏風」です。

「洛」とは京都のことです。なぜ京都が「洛」と呼ばれるかというと、それは平安京を定めた時代にさかのぼる話です。新しいみやこを設計した時にお手本にしたのは憧れの中国の都市。東側半分を「洛陽」、反対側半分を「長安」と、代表的な中国の都市の名前を付けたのでした。長い歴史の中で、その内の洛陽にあたる部分が発展し「洛」が京の市内を意味する言葉となりました。「洛中洛外」とは「京の市内と市外」ということです。

そして「舟木本」の「本」とは、バージョンという感じです。京都の街並みを描いた屏風は何十もありまして、その中で舟木さんの家に伝わったバージョンが《舟木本洛中洛外図屏風》です。すでに所有者が東京国立博物館に移っているので、「本」の意味がわかっても事情を知らないと「なぜ舟木さん？」となりもしますよね。これだけの説明が《舟木本洛中洛外図屏風》に詰まっているということです。

このように日本の美術の世界では、背景となる知識とルールを身に着けていないと作品のタイトルすら理解できません。仏教美術になれば、描かれた仏像が阿弥陀如来か地蔵菩薩かそれ以外かを見分ける知識が必要になります。身に着けている服や装飾品、手に何を持っているかなどで判断します。

工芸品では絵画や仏像とは違う問題が生まれます。タイトルに制作にかかわる技法の名前が入ってくる上に、その道具の用途を知らないと何に使うものかわかりません。国宝に尾形光琳作《八橋蒔絵螺鈿硯箱》（図29）があります。この作品名が読めますか。「やつはし／まきえ／らでん／すずりばこ」です。さあこれを理解するのは大変ですね。まず「八橋」は『伊

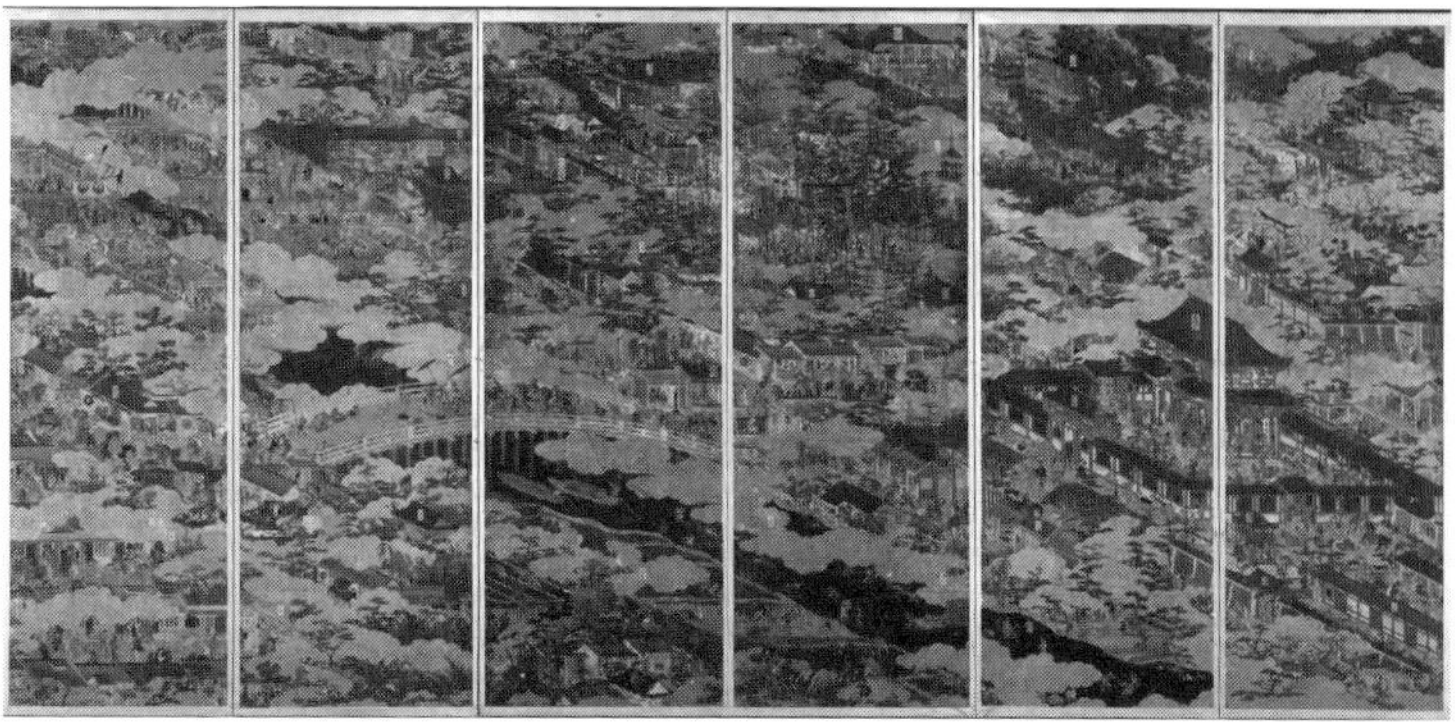

図28　《舟木本洛中洛外図屏風》（国宝）江戸時代・17世紀、東京国立博物館蔵
出典：ColBase (https://colbase.nich.go.jp)

図29　尾形光琳《八橋蒔絵螺鈿硯箱》（国宝）
江戸時代・18世紀、東京国立博物館蔵
出典：ColBase (https://colbase.nich.go.jp)

勢物語』の有名なシーンの舞台になっているカキツバタという花が咲く池に渡された八枚の板の橋のことです。ですからカキツバタとタイトルになくても、「八橋」とあれば紫の美しい花が描かれているはずです。「蒔絵」は漆を塗って金の粉を撒いて装飾する技法、「螺鈿」は貝の内側のキラキラした部分を薄く削ったものを漆で貼って装飾する技法のことです。最後に硯箱とあるので、蓋を開けると筆と墨と硯が入っている箱なのでしょう。

考え方によってはこれだけの情報をたった八文字のタイトルに詰め込むことのできる素晴らしいシステムだといえます。写真がとても高級だった時代に、文字だけで作品を整理するのにはとても便利でした。しかし、それを理解するには『伊勢物語』といった文学から、工芸の技法まで、幅広い教養が不可欠です。そこまで知っているのは、全日本人の何パーセントでしょう。

一般人に理解させることに意味はなかった

明治時代からこの日本美術のタイトルの付け方ルールはあまり変わっていません。最近になるまでこの難しさはそこまで問題にもなりませんでした。そもそも、美術は「一般庶民が理解する」ことを前提にしていません。最初にお話ししたように、美術品はお金持ちや権力者のものだからです。国宝や重要文化財になるような作品は、限られた特権階級の人々の目にしか触れることはありませんでした。ですから、元々エリートが理解できればそれでよいもの。国民の大半である我々のような一般庶民はそもそも「眼中になかった」のです。

これも前に説明しましたが、縄文土器、法隆寺、正倉院……意外なことに、日本には欧米人が驚く世界最古や唯一と呼べるようなものが少なくありませんでした。それらを海外に発信する仕事にも、最初は欧米人からのサポートがありました。しかし、やがて外国人に頼りきりというわけにもいかなくなります。彼らは日本美術の面白さを教えてはくれますが、それはいわゆる「外国人目線」であり、当時の日本人からしても「それは違う」というような紹介のされ方をすることもあるからです。

現代でも日本の「武士道」や「忍者」の海外でのとりあげられ方を見て「おいおい、ちょっと待ってくれ」と思わされることがあります。少なくとも私が海外で生活していた一〇年程前までは、世界にはいまだに「日本人はちょんまげを結って甲冑を着ている武士がいて気を付けていないと忍者に暗殺される」と思っている人がいました。目をキラキラさせて「僕は将来ニンジャになる」と言っているドイツ人の友達がいました。信じられないと思いますが本当の話です。

明治が終わり、大正や昭和という時代になると、文化に関しては欧米人に頼りきりだった日本人が独り立ちをはじめます。では、ここで問題です。もしも皆さんが政府の役人だったら、日本の文化や芸術を発信する仕事を誰に任せるでしょうか。

「美術」という言葉は明治時代に日本人が新しく作った言葉です。美術とは何か？という問題にきちんと答えることのできる人はどのくらいいたでしょうか。興味深い例に、明治時代の中頃に鹿児島県で焼かれた陶磁器の花瓶の底にこのようなことが書かれています。「この花瓶はとても手間をかけて三〇回も窯に入れて焼いた。だから日本を代表する美術である」。この作品を作った人は「手間をかける＝美術」と理解していたようです。「さて、この考え方は正解でしょうか、それとも間違いでしょうか」。こう聞かれてはっきりと答えられる日本人はどのくらいいるでしょう。

美術を説明する仕事には、学芸員さんや私のような大学の教員がいます。では、その人たちはどこで知識を学んだかといえば大学です。現在、日本美術を専門としている人の出身大学を調べると、偏りがあることがわかるはずです。東大、京大、東北大、神戸大、大阪大、慶応、早稲田、学習院、同志社、関西学院、九州大などいわゆる偏差値上位の有名大学を出ている人がほとんど。では、その人たちの先生や先生の先生がどこで学んだかを見ると、戦前に東大や京大で学んだ人ばかりです。

さて、ここで少し立ち止まって考えてみましょう。戦前の日本で大学に行くことができる人は現代よりも遥かに少ない時代です。もしも大学に行けたとして、多様な学部・学科・講座の中から美学や美術史を選ぶ人とはどんな若者か想像してみましょう。

一般人がアクセスできる美術品は限られており、本物に触れる機会は少なかった時代。美術館や博物館も大都市にしかありません。卒業後の進路もどうなるかわかりません。当時、そんな学問を子供が選ぶことを許す親とはどんな人々か。そうです、子供が働かなくても困らないくらいに裕福で、美術に理解のある家庭です。おそらく家には多くの美術品や優れた工芸品があり、子供たちはそれに触れて育ったという可能性も高いでしょう。

個人名はとても出せませんが、二十世紀の美術史の業界で有名な美術史家は親が資産家であったり、大学教授であったりと、特別な家に生まれた人である場合が多いです。つまり、難関大学で美術史を選ぶ人々というのは、そもそも「生まれも育ちもエリートだった」と言っても言い過ぎではありません。

さて、そんな特権階級の人々が使う言葉が一般人にわかりやすいということを重視したでしょうか。それよりも、欧米の美術史のレベルに早く追いつくために、難解な言葉を駆使して、可能な限り高度な学問を作ろうとしたことでしょう。ほとんどの日本人が美術を理解しない時代に、全国の資産家の蔵に入っている美術を調査し、それに優劣をつける。調べた中から国宝や重要文化財を選び、世界に日本の素晴らしさを発信する。日本の芸術や文化に興味を示した若いお金持ちを教育する。外国人が優れた作品を購入しようとすればそれを阻止する。それが彼らの仕事でした。日本の美術と言いながら、お金のない一般人には関係のない学問だったということです。その流れを引き継いでいるので、美術館も博物館も、解説が皆さんにとってわかりにくくなるということなのです。

最近、書店に置かれている美術書を見ると新しいタイプの本が増えていることがよくわかります。美術の基本を読者が知らないということを想定して、かわいい表紙に、わかりやすい言葉で解説した本がそれです（この本もできるだけ簡単な言葉で書いているつもりです）。著者は私と同年代か、それよりも若い人たちです。この世代の美術史家の特徴は、私も含めて、一般庶民が少なくないからです。

戦後の日本は平等を推し進め、日本国民の大半がそれなりに裕福になり、若者の半分以上が大学に進学するようになり、美術に触れる機会も増えました。それにともなって、普通の家の子供たちの中に、美術史という世界を志す人が出てきた。そして、少しずつですが、美術関連の書籍はもとより、全国で開催される美術の展覧会の解説もわかりやすくなりはじめているということなのです。

美術品の名前、新しい動き

美術品の名前の話に戻りましょう。タイトルを付けることは、美術品で何かをする時に最初に必要なことでした。明治時代に海外に日本文化を発信するにも、まずは作品に名前が無ければ何もはじまりません。何かあるたびに、わざわざ作品をとり出して確認しなくても、タイトルを読むだけでそれがどんな作品かわかるようにルールを作り、それに沿って日本国中の美術品や文化財が整理されました。つまり、美術品の題名は日本美術史を作った戦前・戦後の偉い先生方が苦心した成果なのです。その先生たちに育てられた後輩たちにとっては、このタイトルのつけ方こそが「守るべき日本美術史の伝統」となったのです。

日本の法律もこのシステムに味方しました。国宝や重要文化財に指定されている作品は、登録された時にタイトルが決められ、基本的に変更はされません。俵屋宗達が風神雷神ではなく《雷神風神図屏風》と命名していたという記録が出てきたとしても、よっぽどのことがない限り《風神雷神図屏風》と風神が先に来る名前が変わることはありません。

そんな「権威」のあるタイトルを、たまの休日にちょっと背伸びして美術館に現れる教養のない庶民のために、現代風にわかりやすく改名することはできるでしょうか。ご推測のとおり「とっても難しい」と言わざるを得ません。しかし、実はそういった試みがこれまでなかったわけではありません。二〇一三年、「東日本大震災で傷ついた人々の心を励ますために」と東北四県の博物館・美術館で『若冲が来てくれました―プライスコレクション 江戸絵画の美と生命』が開催されました。これは日本美術コレクターとして知られるアメリカ人のジョー・プライス氏と、その妻であるエツコ夫人からの働きかけで実現したものでした。

展覧会は特に震災を経験した子供たちに向けてのものでした。作品タイトルも「子供たちにわかるように」と、担当の学芸員さんは展示された全作品に現代語のタイトルを付けました(従来のタイトルも小さな文字で併記されました)。《文読む美人図》は《ラブレターを読む美人》に、《妓楼酒宴図》は《のめやうたえや、おおさわぎ》になりました。

私の勝手な印象ですが、この時の展示や図録を見た大人は、いつもの日本美術展よりも笑顔でした。目の前にあるものが何なのか「理解できる」からです。しかしそれも「子供のために」という、作品を所蔵するコレクターからの注文があったからできたことです。

他にも外国人向けの解説は変わりはじめています。ある有名博物館の解説の英語翻訳をしている友人が、「日本語の解説をそのまま訳しても、難しすぎて外国人は理解できない。だから、翻訳はしないで一から解説を書いている」と言っていました。これはどういうことかというと、皮肉なことに博物館や美術館の解説は、子供向けと外国人向けからわかりやすくなっているということです。そして悲しいことに一般の大人向けの解説の多くはこれまでどおりだということです。

多くの学芸員さんは明治時代以前から変わらないこのシステムを積極的に変更する気はありません。それがルールであり、あるべき美術史だと信じているからです。「一般の方々はタイトルの意味がわからないかもしれない」と薄々感じているにもかかわらず、何もせず、これまでと同じことを繰り返す。国は何をしているかと言えば「日本の文化は素晴らしい」というくせに、学校で大切な文化財のタイトルの理解の仕方すら教えようともしない。こうして、美術を提供する側と受け取る側の溝はますます広がっていくというわけです。

何もない、見ればある

美術を提供する側と受け取る側の間にある大きな溝。その溝が生まれる原因とは、アートを所有することができる人と、できない人の溝です。もっと簡単に言えば、お金持ちとそうでない人の溝。この溝を埋める役割を果たしてきたのは美術館や博物館です。

地域文化の振興のためにという理由の他に、日本で美術館が建った主な原因というのは前に説明しました。相続税でせっかく集めたコレクションがバラバラにならないようにすることがひとつ。もうひとつは、バブルの時代、つまりお金が余っているような気がした時代に全国の自治体(都道府県・市町村)が「我が町にも美術館くらいないと恥ずかしい」と建てたこと。理由は純粋であったとは言いづらいかもしれませんが、入館料という少しのお金さえ出せば、何億円もする美術品を簡単に鑑賞することができるようになったのです。

私のような一般庶民にとっては、とっても「ありがたい」ことであるにもかかわらず、全国の美術館・博物館の大半は来館者不足による経営難です。その具体的な理由は意味のわからない作品タイトルに象徴されるように、解説が難しくて理解ができないこと。そして、理解できないものを見るために一〇〇〇円ものお金を払わないといけないことなどがあると説明しました。でも、もっと根本的な理由があります。それは美術の見方、楽しみ方を教えないという教育の問題です。

私は大学の授業で積極的に絵画や工芸の見方を紹介します。「松竹梅」の意味は前に説明しました。もうひとつ絵画に描かれたモチーフの意味をお教えしましょう。

明治時代に活躍した橋本雅邦という画家の《竹林猫》という作品(図30)。竹に雀がとまっており、下から猫が眺めています。松竹梅の説明で竹には触れましたが、青々としてまっすぐに立ち、風が吹いてもしなやかに耐えるが、中は空洞で邪な気持ちを持たないということが人の上に立つ人物の資質にふさわしいと考えられました。そこにとまる「雀」という漢字の中国語での発音は貴族の身分を表す「爵」と同じです。竹に雀は、戦国時代の伊達家や上杉家の家紋に使われていますが、元々このような意味があります。これを知っているとおとぎ話「舌切り雀」が少し違って見えるかもしれません。そして「猫」は七〇～八〇歳の老人を意味する「耄」と同じ音。すると、竹と猫の絵はおそらく高齢のお爺さんお婆さんのために、長生きのお祝いに描かれた可能性が高いと想像できます。ついさっきまでは「にゃんこ！

図30　橋本雅邦《竹林猫》明治時代・1896年、東京国立博物館蔵
出典：ColBase (https://colbase.nich.go.jp)

かわいい！」と思っていたのに、この話を聞くと、描かれた猫が老猫に見えてくるのですから不思議です。

描かれたモチーフが持つ意味を知って初めて、作品の作者と鑑賞する人の間に「共感」が生まれます。そうしてはじめて、目の前にある一枚の絵の向こう側に新たな世界が広がるのです。

共感を生むということは、芸術の世界でとても大切なものです。そのためには、鑑賞する人が、作者や作品を理解する知識を持たなければなりません。作者が生きた社会のルール、作者の人間関係、作者が表現したモチーフの意味、作者が用いた技術や材料の珍しさ。これらを知っているかどうかで作品の見え方はまったく違ったものになるのです。「教養は大切」と言う人々の言葉には、こういう意味も含まれています。

私が画題の意味を教える授業を聞いた学生は「美術館に行くのが楽しくなった」と言います。さらに「京都の街の見え方が変わった」というのもよくあるコメントです。お寺や神社の建物のデザイン、お土産物屋さんで売られているもの、あちこちに意味ある文様が溢れているからです。昨日まではただのカワイイ柄だったものが、突然あなたに向かって語りかけてくるような感覚になります。

二十世紀に活躍した陶芸家に河井寛次郎という人がいます。私の大好きな人です。この人が遺した「何もない、見ればある」という言葉があります（図31）。我々は本当にたくさんの「先人の想い」に囲まれて日々を暮らしています。でも見ようとしなければ、見えないものばかり。見える目を手に入れられるかどうかは皆さんの努力次第なのです。

そこにないものを想像させる仕組み

ある老人ホームで入所者の方々に「絵画の見方」というお話をしたことがあります。日本の水墨画を見て、鑑賞の仕方を学ぶというものです。

掛軸はどう掛けるのか、どう巻くのかというような美術品の扱い方。何が描かれていてどういう意味があるのかといった、鑑賞の仕方を簡単に説明しました。その時に「夜の白い梅」の絵を使いました。梅は「松竹梅」の時にお話ししたように、冬が終わり、春が来る時に最初に花を咲かせるので、新しい年のはじまりを意味します。しかし、それが月夜の白い梅に

図31　河井寛次郎《何もない見ればある》
河井寛次郎記念館蔵

なると、また少し異なる意味が加わります。

絵を掛けて「さて、どういう意味でしょう」と一〇人ほどの入所者さんに質問します。有名大学の元先生（理系）もおられましたが、ほとんどの方は何を答えたらよいのかわからない様子。その中で一人、九〇歳を少し超えたご婦人がふと手を挙げました。そして「白い梅は香りを楽しむの」とぽつりとおっしゃいました。

春のきざしを伝える白い梅ですが、暗い夜に咲いていてもその姿ははっきりと見えません。しかし、白梅は香りが強いことでも知られる花で、夜の白い梅は「暗香」と呼ばれるテーマです。目には見えない花が咲いていることを、その香りで知るのです。ですから、白い梅が描かれた絵画や工芸品を見れば、おのずとそこからよい香りが漂ってくるように感じる。そういうものです。雀や猫のようにモチーフの意味を知ることで広がるイメージだけではなく、絵画は見方さえ知れば、無意識のうちに嗅覚を刺激し、存在しない香りさえ生み出します（図32）。

九〇歳を超えておられるということは戦前にお生まれの方です。かつてどこかで誰かから教わった「暗香」を記憶しておられました。しかしながら、こんなに美術が楽しくなり、クリエイティブな可能性を広げる考え方を、現在の日本の教育現場では全く教えません。それよりも、「Google先生に聞けばすぐに答えがわかる年号を暗記させるのです。残念なことです。

余談ですが、お話をはじめる前に会場に掛軸をかけるところがなかったので困っていると、看護師さんがキャスター付きの「点滴を掛ける棒」を持ってきてくださりました。目の悪いおじいちゃん・おばあちゃんの目の前まで絵を持っていくことができるので、なかなか使いやすくオススメです。「掛軸は床の間にかけるべきもの」と信じている方々からは怒られそうな話ですね。美術の普及が目的なので、ご容赦ください。

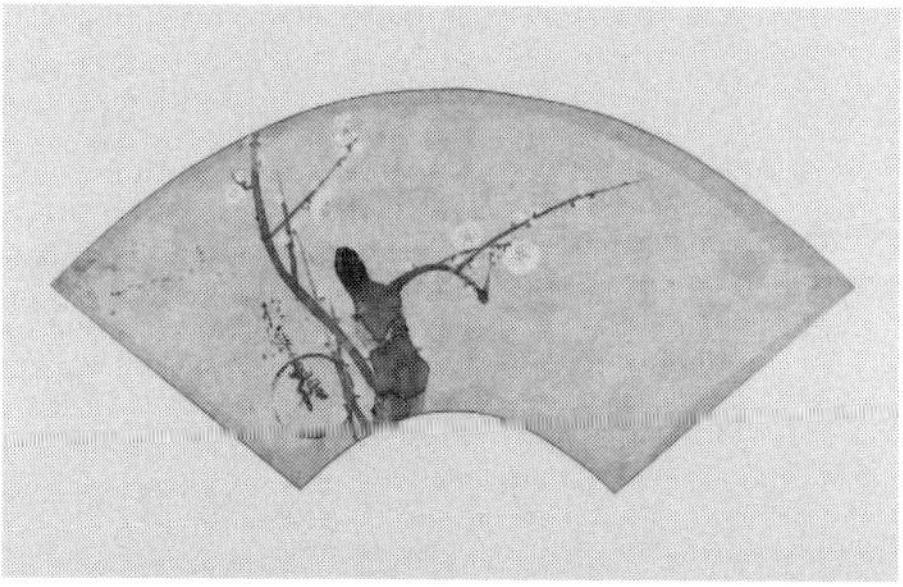

図32　酒井抱一《白梅図扇面》江戸時代・19世紀、東京国立博物館蔵　Image: TNM Image Archives

第7章
美術の見方

「中学や高校で鑑賞の方法を教えてくれていたとしたら、芸術に苦手意識を持つ人は減る」。私の授業を聞いた後に、そんなコメントをくれる学生は毎年何人もいます。自分が子供だった時にも、学校の美術の授業とは知識を学ぶことではありませんでした。濃い鉛筆と大きな紙を渡されて「目の前にあるものを描け」でした。そして少年だった私は「美術は女性のもの」と信じ、男子が頑張るのは恥ずかしいことだと思っていました。

先生からは「このあたりをもっと暗く、ここを明るく」というように、目の前にあるものを、紙の上にうまく写しとるためのアドバイスをもらいました。しかし「なぜそれを描かなければいけないのか」は誰も教えてくれません。テストもありませんし、真面目に勉強しなければならないと思える教科ではありませんでした。

この本の最初から説明してきたように、美術が生まれることにはとても具体的な理由があります。何の目的もなく、突然素晴らしい作品が目の前に誕生することはありません。写真が普及するまでは、絵画は人がどのような姿をしていたか、どんな行事が行われたのかを記録する唯一の方法でした。宗教関連の美術であれば信者をできるだけ多く獲得するために奇跡や死後の世界を信じさせるツールでもありました。都会にある家の白い壁を飾るためには、空間に広がりを生む風景画が描かれました。長生きや、出世、子孫繁栄といった意味のある動物や植物の絵が贈り物としてやりとりされました。国や時代を問わず、上手に描く人は評価されます。王様や大富豪から注文を受けるようになれば、著名な芸術家として歴史に名前が残ります。そうすれば、数十年、数百年後にその人の作品だけを集めた展覧会が美術館や博物館で開催されます。

作者と「共感」できるかどうか、何か役立つ知識や経験を得ることができるかどうかは我々の持つ知識にかかっています。ルネサンスや、俵屋宗達の琳派や、ピカソのキュビズムといった表面的な美術の歴史に詳しくなることは無駄ではありません。でも、宗教や経済や国際関係や、世界における日本という国のあり方を学ぶほうが、美術を理解するのに役に立つことは、この本をここまで読んでこられた皆さんならもうわかるはずです。

それにもかかわらず、実際に行われている美術の教育現場では、何も知らない子供たちにいきなり絵筆を手に取らせ、目の前にあるものを写し取る技術を競わせます。描けない子供に芸術に対する苦手意識を植え付け、「私には感性がないから美術のことはわからない」と思わせる原因を作ります。知識が不足していて芸術が理解できないことの理由を、生まれ持った「感性」が足りないと彼らに信じ込ませてしまいます。

もちろん、この教育方法を使えば、生まれつき他の人よりも上手に描ける技術がある人を選別することは可能です。しかし、芸術を発展させるためには作る人と同じくらいに、それを買い支える人が必要です。かつての私がそうだったように「芸術は自分の人生には関係がない」という思想には未来はありません。支える人がいなければ、芸術を生み出す才能がある人をいくら育てたところで、彼らはまともな生活ができません。

かつてその役割を担ったお金持ちエリートたちは、茶室で使う作品を手に入れることよりも、ゴルフ場で一打でも少なくホールアウトすることのほうが大切になりました。ならば、次の世代のエリートたちには文化や芸術を楽しみ支える人になってほしい。そのためには絵筆をとらせるだけではなく、子供に美術や芸術・文化との接し方を教えることも大切であると、この国の教育行政を担っている方々にはわかっていただきたいものです。

「平等」は日本の芸術の敵

どうして日本の美術教育というのは国民に美術を理解させようとしないのでしょうか。その理由はひとつではないですが、ここでは戦後に日本が「平等」を追求したということをお話ししたいです。

「平等」な社会を実現するという目標は素晴らしいことです。海外生活が長いと、日本ほどに、平等に見える社会が機能している国は珍しいと断言できるようになります。もちろん、富の集中や貧困問題は存在しますが、欧米諸国のそれに比べれば貧富の差は小さいです。

この平等な社会が、未来に日本の芸術や文化を伝えることの邪魔をしてきました。なぜなら歴史上の日本の芸術とは、あらゆる意味において「差別」を前提として生まれたからです。

ここまで我慢して読んでいただいた方にはわかると思いますが、日本の美術の研究をすると、必ず登場するのは天皇と仏教寺院と将軍です。評価の高い美術品は権力者の下に集まるので当然のことですね。ですから日本美術史というのは、この三つの柱を中心にしたストーリーが展開します。そして、明治維新と第二次世界大戦の敗戦によって、将軍はいなくなり、天皇は国家の象徴となり、仏教は政治と切り離されて力が弱まり続けてきました。

そのあとを継ぐかと思われた資産家たちは、戦後に大金持ちを減らそうとした税制改革で大規模な美術品収集には手を出しづらくなりました。さらに多くの大企業は株式会社となり、株主の意見を無視できなくなり、多額の資金を美術品に投資するハードルが高くなりました。頼みの綱であるはずの美術館や博物館の多くは公益財団法人ですからルール上お金儲けは許されません。美術品を収集し続けるだけの資金力を有するところは珍しい。こうして美術や芸術家を支えるお金持ちが日本から減り続けています。

文化の保護でも同じことが言えます。戦後の財産税と相続税は地方の有力者から相当な資産を没収しました。それをすることで何が起こったかと言えば、地方の寺や神社を資金的に支える人が減りました。もちろんそういった場所は氏子や檀家といわれる人々全員で支えられているように思われています。しかし、誰が一番お金を出していたのかといえば、多くは名士と呼ばれる資産家たち。そういった家には地域の代表としての気概がありました。お寺や神社を支えることの他にも、学校を建てたり、お祭りの費用を出したりと、お金にならない地域の文化事業に率先して支援をする役割を果たしてきたのが彼らでした。

戦後に全国の資産家から財産を没収し、国は「平等」の名の下に国民の格差を減らしていきました。戦後の好景気のおかげで、住む家がないとか、食べるご飯がないというような人は激減しました。そうして作り変えられた国は「国民総中流」と呼ばれるようになりました。

大半の国民が中途半端にお金を持ち、超がつくお金持ちと、極端に貧しい人が減った社会です。しかし、この平等な社会には落とし穴がありました。それは、文化や芸術を支える人が減るという結果をもたらしたということです。

私は工芸の専門家です。日本には千種類を超えるとされる手作りの工芸品が存在しています。使う材料としては、植物を原料とする紙や糸や木を使ったもの、鉱物を原料とする陶磁器や金属器、動物の毛や皮を原料とするものがあります。この原料がどんどん手に入らなくなっています。

学生に「工芸品が作られている工房があるのはどんな場所」と聞くと「山奥のとても静かな場所で、きれいな川が流れているところ」というような意見が多いです。同じようなイメージをお持ちの方も多いでしょう。これは実は、日本の工芸品が生まれる理由を表しているのです。

そもそも、日本の工芸品が生まれる理由の多くは「農業の収入だけでは暮らせない」からです。山間の平地が少ない地域や、雪深く冬に農業をできない地域で、農業以外の収入源を得るために広がったものが多いのです。元々お金がないことが理由ではじめていますから、わざわざ高級な材料を使うことはできません。地元にある無料の材料を使い、地域色の濃い物品が生まれました。地域で陶芸に使える土がとれれば幸運です。残念ながら何もなければ、山に生えている木や竹を使うか、紙の原料になる楮《こうぞ》（図33）や、布の原料になる麻や木綿を栽培するしかありません。

これは生活を続けていく上で必要なことでした。成功すれば、苦しい生活から抜け出すことのできるチャンスになる可能性もありました。作業の多くが単純作業の繰り返しや、肉体労働をともなう仕事です。しかし、生活が苦しく、背に腹はかえられないと、そういう仕事につく人も大勢いたのです。

図33 《楮》　著者撮影

明治時代になり世界から輸入される製品と戦わなければいけなくなると、彼らは価格競争を強いられるようになります。製品を売るためには、価格を下げる必要が生じます。やがてプラスチックなど、安価で簡単に大量生産できる材料が生み出される。すると今度は、原材料の価格も安くしなければならなくなります。こうして、日本の伝統的な手仕事は同じことを続けようとすればするほど、どんどん採算がとれない職業になっていきました。

戦後の高度経済成長期には都会に働きに出てお給料を毎月もらえるサラリーマンになるという選択肢が生まれます。毎日スーツを着て会社に行くことで一人前の収入を得ることができる世の中になりました。ならば、わざわざ収入も少なく、大変な仕事を続ける必要はもうありません。「子供たちにはもっと安定した仕事についてほしい」と、自分の代で廃業する職人さんが増えました。

所有する農地や山林の面積で、富裕層と貧困層がわかれていた社会が終わり、戦後の国の政策で富裕層の持つお金を相続税などで没収し、国民全員の生活レベルを向上させるために使いました。交通が不便な山間部には橋が架かり、トンネルが開通しました。ひとりまたひとりと、伝統工芸にかかわる人々が山を離れて都会に出ていきました。こうして、比較的貧しい人々が生きるためにしていた仕事が日本から消えていきます。日本という国が目指した、皆が平等に暮らせる社会を実現するために、結果的に昔ながらの文化が犠牲になったとも言えるかもしれません。

このように見てみると、日本文化を取り巻く問題の難しさが見えてきます。戦後のこの国のあり方とは、地域文化を支えてきた富裕層を減らし、独特の文化を生んできた貧困層を減らし、文化を支えるほどのお金はない中途半端な小金持ちの数を増やしてきたのです。多くの日本人は「日本固有、地域固有の文化や伝統は大切だ」と言います。しかし、彼らは同時に「神社やお寺を維持する費用は出せない、地元の手作りの工芸品を買う気はない」とも言うのです。

日本の文化は社会に格差がなくなると崩壊します。だからといって、もう一度かつてのような不平等な社会を目指すことは許されません。ならば我々にできることは、今ある文化を捨てるか、現代の社会でも存続できるかたちに作り替えるか、全く新しく生み出すかしかありません。結局は、前にお話ししたように、時代に合わせて変わり続けることが必要だということになるのです。

日本の美術品は安すぎる

こうして文化を理解するお金持ちがいなくなり、中途半端なお金持ちしかいなくなると、芸術家は生活を支えてくれるパトロンを失い、美術品は古いものも、新しいものも売れなくなります。興味のある人を増やすべき美術館や博物館での展覧会でも、解説が難しすぎる上に、それを理解できるような教育をしていないので、美術を所有したいという人が増える要因はありません。日本人の住空間からは、美術品を飾るスペースもなくなります。床の間はもちろん、ちょっと何かを置いておきたい棚も失われ続けています。

このように教育・仕事、そして生活空間から美術が失われていくと、所有したい人が減るので美術品の価値は下がります。ごく一部の有名作家による作品を除いて、日本の美術品の価格は下がり続けています。同時に、美術品を所有する人々にとってのモチベーションのひとつであった「資産としての価値」も多くの日本美術からは失われつつあります。ここで日本美術と限定したのは、世界の美術マーケットにおいて日本美術ほどに価格が下がり続けているものは少ないからです。

中国経済の拡大に伴って、新型コロナウイルスが流行するまで、世界的には美術バブルと呼べるような状態が続いていました。特に世界的に有名な作家による作品の価値は驚くほどの高騰ぶりを見せています。レオナルド・ダ・ヴィンチ作のサルバトール・ムンディが約五〇〇億円で落札されたという話はすでにしましたが、他にもピカソやセザンヌといった近代の画家の作品がどんどんと最高落札額を更新しました。すでに亡くなっている画家の作品であれば、贋作が制作されない限り、現存している数が増えることはありません。そして、有名画家の作品とは美術館に入りやすいという特徴もあります。美術館に入るとよっぽどの理由がない限り、もう一度市場で流通することはありません。つまり、個人が購入することのできる有名作家の作品の数は今後減り続けるということがわかっている。となると、その価値は基本的には上昇を続けるということになるのです。

かつてオークションといえば、一部の欧米のお金持ちしか参加しないものでした。しかし、インターネットが社会に普及し、世界中のオークションで扱われた作品の金額の動向が手に取るようにわかるようになり、有名作家の作品価格の情報は世界で共有されるようになりました。誰でも参加できる日本のインターネットオークションサイトでも、有名作家の名品が出品されれば、あっというまに高額になります。世界中の美術関係者が出品作品をこまめにチェックしている証拠です。

特に近年の美術界で値段が高騰しているのはやはり中国の文化財です。中国経済は二〇〇八年の北京オリンピック前から急速に拡大してきました。バブルの時代の日本人のように、巨大な中国マネーが世界の美術業界に流れ、人気作家の作品は古いものも新しいものも、どんどんと値段を上げています。

十九世紀からの中国の歴史とは文化にとって悩ましい時代でした。いくつもの戦争が起こる中で壊されたり、略奪されたりしてしまっただけではありません。平等を重んじる社会主義の国家になったために、資産を所有する人々が社会から弾圧され、不平等な社会の象徴でもある美術品や文化財も一時は破壊の対象となったのです。こうして、この数千年間の間、連綿と受け継がれてきた世界最高の技術と素材を使った中国の美術品は、中国の人々の目に触れることが少なくなっていました。

一九九〇年代から中国では個人が資産を所有することができるような時代になりました。成功した人々は、自らの国の偉大な歴史と、それを象徴するような美術品や工芸品を収集するようになりました。幸運なことに、中国で発掘された陶器や青銅器、皇帝が所有していた絵画などは欧米の美術館や博物館で展示され、欧米を中心にコレクターやマーケットが存在しました。その場に、資金力を蓄えた中国人コレクターが、自らの文化を取り戻すために登場したのです。

「チキン・カップ」と聞いて何を想像しますか。女子大生に聞けば「チキンラーメンを食べるうつわ」とか言いそうですが、もちろん違います。チキン・カップとはとっても有名な中国のやきもののことです。中国の明という王朝の成化期、憲宗の時代（1465―1487）に作られた、白い磁器にカラフルな鶏が描かれたものです（図34）。

大きさは高さ四センチメートルで、直径が八センチメートルくらいの小さなお碗です。この両手で包むことのできるような小

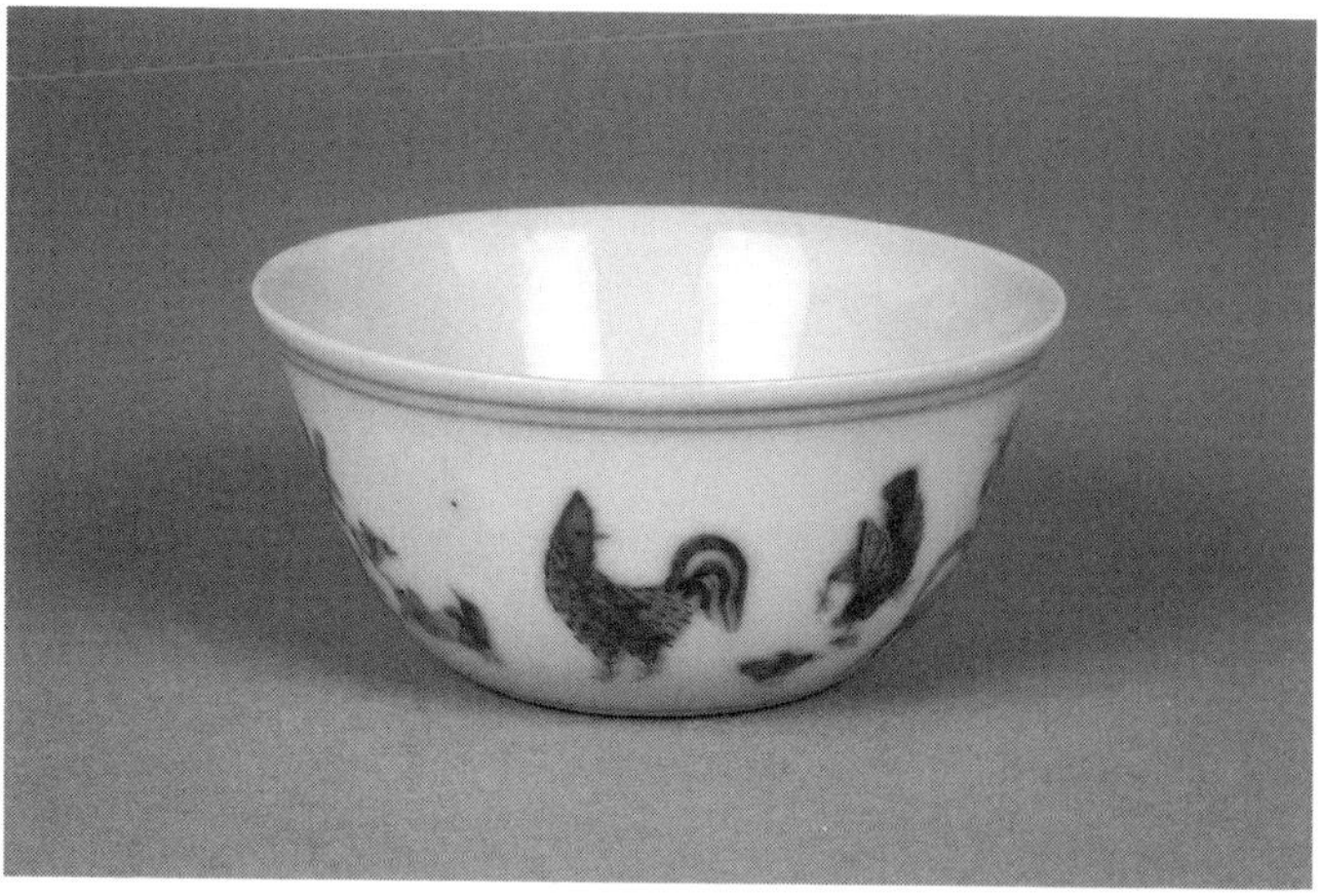

図34　《豆彩雞缸杯》成化期・15世紀、メトロポリタン美術館蔵
photo: akg-images/アフロ

さな碗。二〇一四年、世界的なオークションハウスであるサザビーズの香港支店に出品されました。価格は二億八一二四万香港ドル、当時のレートで約三七億円です。上海の富豪が落札したというニュースは、中国陶磁器の価格の高騰と、中国マネーの力強さを認識する出来事となりました。

過熱する世界の中国美術市場の陰に隠れているのが日本の美術品です。さて、日本の美術作品がどの位の価格で流通しているかご存知でしょうか。ここで問題です。世界的なオークションで日本の美術品としてこれまでの最高額となった作品は、誰による、何という作品で、一体いくらだったでしょう。

実は一位も二位も現代美術の作品です。一位は、奈良美智さんの《ナイフ・ビハインド・バック》という作品で、二〇一九年に約二五億円で落札されました。そして二位は、村上隆さんの《マイ・ロンサム・カウボーイ》という作品です。二〇〇八年に約一六億円で落札されました。この作品はその見た目で物議を醸しました。作品の良し悪しについて私は何かを言う立場にありませんが、当時この作品を見て「これが史上最高額の日本美術品である」という事実を「素晴らしい」と思えた日本人がどれほどいたかということについては、気になるところです。気になる方は「マイ・ロンサム・カウボーイ」で画像検索をしてみてください。

現代美術では善戦していますが、問題は古美術の世界にあります。骨董品の最高額は、奈良さんの作品の落札額二五億円よりもかなり安いです。二〇〇八年、運慶作とされる仏像が、サザビーズと並ぶ有名オークションハウスのクリスティーズで入札にかけられました。運慶は奈良県にある東大寺南大門の金剛力士像の制作にかかわったとされる、日本でもっとも有名な仏師ということをご存知の方は少なくないでしょう。

入札された高さ六六センチメートルの木造大日如来像は、約一二億七〇〇〇万円で落札されました。その金額だけを聞くととても高額な気がします。しかし、日本でもっとも有名な仏師が彫った作品の価格がこれです。運慶が亡くなってから二〇〇年以上後に名もない陶工によって製作されたチキン・カップを購入するために、この運慶の仏像が三体必要です。運慶が亡くなって三〇〇年後に死んだダ・ヴィンチが描いたキリストの絵（約五〇〇億円）に至っては、運慶の仏像三八体でようやく同じ値段になるのです。もっと言えば、一九七三年まで生きていたパブロ・ピカソの作品のオークション最高落札価格は約二〇〇億円ですから、この運慶の仏像、現代風に言うと木造彫刻が一五体分ということになります。

もちろん「運慶のもっと有名な作品なら一〇〇億円になる」と言いたい人もいるでしょう。それはそうかもしれません。しかし、私の言いたい問題とは、日本の仏像の落札最高額が一三億円にも届いていないということにあるのです。なぜなら、この額こそが世界的な日本美術の価格を決めるからです。言い換えれば、世界的なアート・マーケットの中で、資産としての日本美術の価値は、中国美術に比べると遥かに低く、欧米に比べるとさらに低いのです。

イギリス留学中にお世話になった日本陶磁器の大コレクターのデイヴィッド・キング氏は常々「僕はお金がないから中国磁器を集めるのはあきらめた」と言っていました。そして「安いから日本の陶磁器を集めはじめた」と教えてくれました。

チキン・カップをはじめとする超高額作品が目白押しの中国陶磁コレクターの世界にはとてつもないお金持ちがしのぎを削ってきた歴史があります。

中国陶磁器ではイメージしづらいと思うので、フランスの印象派の有名絵画をこれからコレクションしようという話を仮定しましょう。ゴーギャンの作品一点で三〇〇億円ですから、安めに見積もっても数千億円は必要になります。逆に、数百億円を持って日本美術を集めれば、美術館を開くことができるくらいの数の名品を集めることができます。世界の歴史に名を遺すことは難しいですが、日本美術史に一大コレクターとして名を刻むのであれば、お金さえあればそれほど難しいことではありません。お金持ちの皆さんいかがでしょうか。

残酷ですが「価格」とは、その評価を数字で表したものです。悲しいことに、日本の古い美術品は世界的なアート・マーケットの中ではとても小さな存在でしかなく、それを表しているのが運慶の一二億七〇〇〇万円という値段なのです。日本人の多くが信じるように「日本は世界有数の文化大国である」と言いたいのであれば、世界の人々がそう思えるように、作品の値段も欧米や中国のものと肩を並べるくらいにしなければなりません。でもそうなってはいない。安さの一番の原因は、日本人が日本の文化財を買い支えないということです。我々が日本美術にお金を出さなくなった原因は、これまで私がこの本の中でひとつひとつ説明してきたことです。学校で教えない、飾る場所がない、お金持ちが興味を失った、伝える人の言葉が難しすぎる、挙げればきりがありません。

面白いものなのに、面白いと思うことのできる入り口までたどり着く人が本当に少ない。こうして、世界のアート・マーケットから日本の美術品はどんどんといなくなっていくのです。さらに、日本でも買う人がいないので、行き場のない古いものがそこかしこで目につくようになってきました。

「日本の美術品は安い。でも、誰も買わない」

これが、日本国民が信じる文化大国の現実なのです。

美術の見方

「一番好きな作家・作品は何ですか」

大学の授業や、一般向けの講演の後によく受ける質問がこれです。なんだか試されているようで、いつも少しだけ戸惑います。時間がない時は「最近は自分が何が好きなのかわからなくなってきました」と、答えます。ここでは、芸術の専門家がどのように作品を見て、評価を決めているのかについてお話ししたいと思います。

多くの日本人は、芸術作品に確固たるレベルのようなものが存在すると考えておられるようです。美術品の鑑定ができるような人のことを言う「目利《めき》き」という言葉を聞いたことがある人は少なくないでしょう。目利きになれば、『ドラゴンボール』のスカウターのように、すべての美術の戦闘力が数値として見えてくる。そんな風に考えておられるのかもしれません。実際はどうかといえば、そういう感覚は確かにあります。しかし、悩ましいのはその基準が見えるのが「すべての美術」ではないところです。

芸術の鑑賞とはアルプス山脈にあるすべての山の頂上を制覇するようなものです。ポイントは、山頂がひとつではなくたくさんの山があり、それぞれが異なるかたちをしていて登り方はそれぞれだということです。登山がうまくなれば、頂上まで到達するスピードは速くなるでしょう。でも、どれかひとつを制覇しても、山脈全体が見わたせるわけではありません。

たくさんの山を登ろうとしてきた私からすると(ちなみに私は頂上まで到達したと思える山はまだないです)、この山ならこの作品が一番よい、あの山ならあの作品ということは言えるかもしれません。すべての作品を、種類分けされた大きなエクセルの表の中に順におさめていく感覚です。一旦、この見方が習慣になってしまうと、良し悪しは見えても、好き嫌いでは作品が見えなくなってきます。そこが悩ましい問題です。

もっとわかりやすく説明してみましょう。たとえば、皆さんは「このラーメンは今まで食べた中で一番おいしい」というようなことを言ったことがあるはずです。ラーメンではなく、お寿司や、カレー、オムライスだったかもしれません。あなたの頭の中では、「二年前に札幌で食べた味噌ラーメンが一番おいしいと思っていたけれど、これはそれ以上だ」と、その時の情景や味が思い浮かんでいますよね。一〇〇杯の異なるラーメンを覚えている人であれば、「あの店よりチャーシューはおいしいが、あの店のスープにはかなわない」と言うことができるはずです。私が美術品を見る時も同じようなことが頭の中で起こっています。

「この作品は、これまで見た同じ作家の何十作品の中で、上から数えて五番目くらいのものだ」というような感じです。その基準になるのは、作品の内容、大きさ、コンディションといったことから、作者がその作品にどれだけの思い入れがあったかや、制作された年や、なんのために制作されたかがわかっているか。その他にも、誰が所有していたか、有名美術館が所有している作品かどうか、これまでに展覧会に出品されたことがあるかなど、さまざまな点を総合的に判断します。

ただしこれが明確にできるのは、私であれば専門の明治時代の日本の陶磁器という分野だけです。美術の世界というのは古代から現代まで、ありとあらゆる作品が存在します。ですから、果てしない数の山々が連なる山脈をひとつずつ踏破していき、わかる種類の美術を増やしていく。それが私のような仕事をする人間にとって必要になることです。日本では学校で美術や芸術の見方を教えないので、「見える人」はとても少なく、「見えない人」からすれば魔法のように感じても不思議ではないでしょう。

ここで気を付けなければいけないことがあります。同じような美術品をくらべて優劣で並べるような芸術の見方をする必要のある人は、美術史家や、芸術評論家、学芸員や美術商、お茶やお花の先生くらいだということです。この本を読んでいる多くの方々にとっては、自分が好きだと思う美術や芸術を素直に「好き」と言うことの方が正しいはずなのです。

日本の文化芸術は「敷居が高い」とよく聞きます。原因は「まず基本がわかるようになってからはじめる」ということが徹底されていることでしょう。ある分野のトップや、長年それにかかわってきた年長者の意見が絶対であると信じられているため、新しくかかわりたい人は一番楽しいところ、一番知りたいところではなく、「まずは基本を習得せよ」となります。勇気をもって学ぼうとした「ちょっとアートが知りたい人」はそこで「面白くない」とやめてしまいます。

ここに日本の文化・芸術の本当に直すべきところがあります。美術や芸術とはそもそも我々の生活を豊かにするために存在すべきものでしょう。自分の感性で選んだものに良し悪しはありません。本に載っているものがあなたに合うアートかどうかなんてほかの誰にもわかりません。

理由はわからないけれど、気になった絵をいつも目に見えるところに飾ってみる。ふと眺めると幸せになる。友達が遊びに来て「いいね」と言ってくれる。嬉しそうにそれについて自分の考えを説明する。そうしているうちに、その作品を作った人についてもっと知りたくなるものです。美術や芸術の歴史を学ぶのはそこからで十分です。

もしも、この本を読んで、学びたいという気持ちになった方がおられたら、大学の門を叩いていただければと思います(先生はきちんと選んでくださいね。教え方が合う、合わないはあります)。芸術を学びはじめるタイミングに遅い早いはありません。悲しいことに、身につけたところでお金はあまり生みませんが、世界の見え方がポジティブな意味で変わるということは保証できます。

アートを買うことの意味

これまで美術や芸術の見方や考え方をお話ししてきました。ここでは前にお話しした資産としての美術という視点は少し無視して、美術を飾ることの意味について考えてみたいと思います。

普通の人が美術品を手に入れてすることと言えば、部屋を飾ることでしょう。毎日目にするものになるので、「自分が好きだと感じる作品を購入すればいい」と考えるのが普通です。難しい問題ではありません。ただそうする前に、それを買うのはなぜなのかということについて考えてみると、あなたにとってのアートの役割が見えてくるかもしれません。

過去にこんなことがありました。アメリカで生活をしていた時に友人のボブから聞いた話です。ランチに招待され、彼の自宅のダイニングルームに座って一息ついた時です。机の真ん中に置かれた不思議な形をした金属の飾りを手に取って「これは何だと思う」というのです。手渡されたそれは鈴のように見えるけれど音がするわけではなく、鳥の形をしているようで鳥ではなく、不思議なものでした。

答えに困っていると、ボブがそれを手に入れたモロッコでのお話をはじめました。内容は詳しく覚えていないのですが、ある地域特有の宗教的な道具だということでした。それが何かということよりも、それを手に入れた時のストーリーで場を和ませてくれました。そして彼は話の最後に私に「アメリカで人をたくさん呼ぶ家にはこういうものが必ず置かれていてカンバセーションピースというんだ」と教えてくれたのです。お客様をもてなすために、話題を提供してくれるアイテムが部屋に準備してあるのです。

どんなものを用意するかというのは、その家の住人の教養の高さを表します。もちろん、モネやピカソの絵が掛けられていればそれでもいいのですが、それをするとゲストには、住人がお金持ちであるということと、前時代の美術品を好む保守的な人物であるという印象も伝わります。

一方、誰も知らない現代美術作家の作品が置かれていれば、先進的で革新的な印象を与えることができるでしょう。知人の芸術家の作品を飾っている人は、アートに精通しているおしゃれな人に見えます。ボブのように、高価ではないけれど不思議で珍しいものを置く人は、何か新しいアイデアをくれそうですし、実際にそんな人でした。

日本でも客間に床の間があった時代には、そこに掛けてある絵画や、置かれている陶磁器によってさまざまなメッセージを客に伝えたものでした。春に紅葉の絵をかけていれば、教養のない人に見えます。逆に、とても珍しい絵画や、季節の花が生けられた花瓶が置かれていれば、客はその家の主人に大切にされていると感じたことでしょう。

現代でも、他人を家に頻繁に呼ぶ人にとっては、客間に何を飾るかということは大切なことです。それは自分がどんな人間であるかをお客様に伝えることができるからです。もしもあなたが美術品を買いたくなった時、自分や家族しか見ないものであれば個人の趣味で選べばよいです。でも、もしも人を招く場所に飾り、見てもらうものにするならば、趣味は少し忘れて、どの作品が、あなたがお客さんから見られたいイメージを表現してくれるのかを考えるべきかもしれません。

この考え方は、会社のような空間に飾るアートでも同じことです。会社のエントランスにどんな絵を飾るべきなのか。デザイナーや設計士にお任せするのもよいかもしれません。でも、もしも自分の会社であれば、きちんと会社のイメージと合う作家の作品を置きたいものですね。

アートはどこで買うべきか

アートを買うということは、多くの日本人にとってはあまり馴染みのない行為です。その理由はこれまで詳しく説明してきました。美術の見方を学校で教育しないこと、美術がわかるかわからないかは教養ではなく感性の問題だと思い込んでいることなどです。そういった社会のあり方が、皆さんをアートを手に入れるという行為から遠ざけています。では、その高いハードルを越えてくる勇敢な人（あなたかもしれません）が現れたとして、次に問題となるのはどこで買うかということです。

二〇〇〇年代に入って日本のアートを取り巻く状況は一変しました。一般人が買える場所と言えば都市にあるアート・ギャラリー、骨董店、百貨店の美術部門くらいでした。しかし、一般の人も参加できるオークション会社が設立され、ヤフー・オークションやメルカリに本物の美術品が出品されるようになりました。インターネットで美術品を購入することは、もはやそれほど難しいことではありません。

そこで、ここではアートを実際に買いたい人にいくつかアドバイスをしてみたいと思います。まず、存命している作家の作品を買うのか、すでに亡くなっている作家（物故作家といいます）の作品を買うのかで少し考え方が変わります。最初は物故作家の作品を買う場合です。先に断っておきますが、ここでは基本的に日本の美術品を買うということを前提にしてお話しします。

充分なお金はあるけれど忙しくて自分でアートを探している時間がない人がすべきことは決まっています。きちんとした作品を扱っている、見る目のあるギャラリーや美術商さんと付き合うことです。もちろん、それなりの手数料はかかります。でも、この方法であれば、普通は購入することのできない有名作家の名品も手にはいるかもしれません。有名美術商でも作品がホンモノかニセモノかを間違えることがないわけではありませんが、自分の鑑定眼を磨かずに確実性を求めるのであれば、これが一番よい方法でしょう。

この時に気を付けないといけないことがあります。それは、有名な美術商がすすめたからと言って、その作品の価値が今後も上がり続けるわけではないということです。以前お話ししたように、ダ・ヴィンチやピカソといった世界的に有名なアーティストの作品は、数が限られているのにほしい人が減らないので、世界をまきこんだ戦争でもない限りは価値の暴落は起こりにくいです。

一方、日本の美術品の多くは世界市場に載っておらず価格は不安定です。特に、これだけ日本人がアートに興味を持たず、人口減少が止まらない状況では、全体の価格が上昇する環境にはありません。一部の作家の作品価格は驚くほどに上がることもあるでしょうが、そうなる作家はごくわずかです。ですから、日本のアートを買うのであれば、お宝発見や安全資産として美術に夢を見ることはやめたほうがいいでしょう。何のためにそれを買うべきかといえば、「ご自身の楽しみのため」もしくは自宅や会社で「大切な誰かに見せるため」という理由であるべきです。

次に、私のようにお金のない人や、時間に余裕があり自分の美術を見る目を試したい人はどこで買うべきでしょう。安めの骨董店や骨董市をめぐるのもいいですし、インターネットオークションで安めの作品を競り合ったりするのもいいですね。自分の気に入ったものを手に取って選んだり、勉強した知識を頼りに探したりと、なかなか楽しいものです。

よく聞かれる質問に、いわゆる「掘り出し物」はどうやったら見つかるかということがあります。掘り出し物とは、驚くほど安い値段で見つけたホンモノのことです。専門家の立場からお話をすれば、「掘り出し物」はどんな場所にも存在します。しかし残念なことに、それは皆さんが求めているような物ではないことが多いです。本が何冊も出版されているような有名作家の作品が不当に安い値段で売られていることはまずありません。なぜなら、少し勉強すれば誰でもある程度は良いか悪いか判断できるようになるものだからです。そうだとすると比較的見つけやすい「掘り出し物」はどんなものであるかをお話しします。

まず、かつて有名な作家だったにもかかわらず、現代はあまり知られていない作家の作品があります。品質は間違いないですが人気がないので値段が安くなります。そのような作品は今後再評価されて価格が上昇することもあります。江戸時代の京都の絵師、伊藤若冲の作品が、一九八〇年代と比べればおそらく何十倍の値段になっているのがよい例です。忘れられた画家であった若冲の絵を何十年も前に買った人は得をしたように見えます。でも、その絵を手に入れたきっかけはおそらく投資としてではなく、純粋にその絵が欲しかったからです。美術品で儲かることとは、多くの場合は結果的にそうなったというだけであり、狙ってできることではないのが悩ましいところです。

茶道や華道の道具にも「掘り出し物」はあります。こちらは世間の流行で値段が変わるものです。茶道が流行している時は煎茶をする人は減り、煎茶の道具は安くなりますし、逆もまた同じです。二〇〇〇年代くらいまで日本にある煎茶道具はとても安かったですが、中国製のものが多いので、中国の経済がよくなるにつれて中国人に買い戻されはじめました。驚くほどの値段になっているものもあります。

他にも、有名作家の作品であっても安いものがあります。現代の生活で使わなくなったものがそれです。一例を挙げれば、灰皿は灰皿としてしか使えません。しかし、公共の場所では禁煙が基本になり、喫煙者も減った現代では、有名陶芸家の作品であっても灰皿の値段はとても安いです。

灰皿が、用途を変えて、何十年か後に人気になる可能性もないとは言い切れないですから、このように、安い時に安いものを買っておくというのは不可能ではありません。しかし、そういったものというのは「わけあって安くなっている」ことがほとんどなのです。生活に特に必要のない使わない道具を、いつか値段が高くなることを願って家の倉庫で眠らせておくのは非効率です。アートを買う目的として健全とも言えません。そういうわけで、美術商になりたい人以外は、自分が好きなものを納得できる値段で、買いたい時に買えばよいとなるわけです。

最後に作品の真贋について少しお話ししましょう。特に骨董品を買う場合には、目の前にあるものはホンモノかどうかということが気になります。しかし、「ニセモノをニセモノと証明することはとても難しい」ということは、あまり知られていません。「弘法にも筆の誤り」という言葉があるように、有名芸術家が制作した作品がすべて素晴らしいのかと言われれば、答えはNOです。どんな人にも調子が悪い日もあれば、道具や材料が新しくなり思い通りの結果が出ないこともあります。実際に、記録からは間違いなく有名作家が制作したはずなのに、驚くほどに下手な作品というものはあります。横山大観はそういう作品が比較的多いことで知られています。

この「他の作品に比べて下手だから」という理由はニセモノの証明にはなりません。本来、ホンモノであると確定する方法は作家本人に聞くしかないのです。作家がすでに亡くなっていれば、ニセモノであると確認する方法は限られています。使われている材料や道具が作者の生きた時代には存在しなかったと証明することくらいでしょうか。ですから、この世の中に「確実にニセモノである」と言うことのできる古美術品はそれほど多くはないのです。

とはいえ、資産価値のある美術品ですので、すでに亡くなった作家に関しては専門の「鑑定士」という方々がおられます。彼らのすることとは、タイムマシンに乗って作家にその作品がホンモノかどうかを聞きに行くことではありません。同じ作家の他の作品と比べて本物と呼べる範囲にその作品が入っているかどうかを判断するのです。落款《らっかん》と呼ばれるサインや印はもとより、作品の筆づかいや雰囲気、使われている材料が時代に合っているか、箱にかけてある紐がいつもと同じかなど、多くの見るべきポイントがあります。こういった鑑定をする理由の多くは、資産価値を確定するためです。つまり、作品を転売したり、相続したりする予定がない方にとって、作品が専門家の言うホンモノのルールに当てはまっているかどうかというのは、それほど大切な評価基準ではありません。

この本を読んでいる方の多くは、美術商になりたいわけでも、美術館を建てるためにアートを購入したいわけでもないと思われます。それならば、目の前の作品がホンモノかニセモノかという答えのない問いに惑わされるよりも、それを手に入れて家や会社に飾りたいかどうかという基準で選ぶほうがよいと思いませんか。

作家から直接手に入れる

それでも絶対にホンモノを手に入れたいと思う方には、確実な方法があります。元気に活動している作家から作品を購入するということです。作家から直接作品を購入できる場所と言えば、百貨店の美術ギャラリーや、街中のアート・ギャラリーで開催されている個展が一般的です。会場に行くと、作者が作品の説明をしてくれ、購入したければそこで「この作品を購入したい」と言えばいいのです。

芸術大学の学生や卒業したばかりの若い芸術家もいれば、自分の親よりも年上のような人もいますし、価格もバラバラです。人気作家ともなると、個展の初日のオープン時間に入口に行列ができることもあります。このご時世でも初日で全作品が売り切れるという人はいますが、多くの作家は売れすぎて困っているよりも、売れなくて困っているのが現実です。

個展に行って作品の前で作者から話を聞くのは貴重な経験です。作品制作に至ったきっかけや、どんな気持ちで作ったのかを知ることができます。特別な材料や技術を使っているというようなことは作家本人から聞かなければわかりません。

超有名な作家さんで作品はとても高額だったとしても、話しかければ大抵は気軽に接してくれます。実際に話を聞いてみたら出身地がとても近くだったり、趣味が同じであったりと、あなたとの接点が見つかるかもしれません。そうして話を聞いていると、それまではただ「そこにあっただけ」の作品があなたに何かを語りかけてくるものです。

アーティストさんたちとしても、自分がよいと信じて制作した作品を他人に見てもらうのは不安なものです。わざわざ足を運んで見に来てくれたお客さんから褒めてもらえれば、もしも売れなくても嬉しいです。ですから、個展でお客さんが作家さんと話をするというのは、皆が幸せになれるとてもポジティブな行為なのです。

美術に直接触れる経験というものは、もうひとつ意味ある効果をもたらしてくれます。それは「自分が好きなアート作品とはどのようなものなのか」ということが少しずつわかるようになってくるということです。その過程で、本当に好きな作品を作る作家に出会い、その人の作品を購入し、家に飾り、親しい友人に作品のことだけではなく、作家さんとの出会いのお話までできれば、そんなに楽しいことはないはずです。アートを所有する醍醐味とはそういうことにあると言えます。後にその作家さんが有名になって、何年も前に買った作品の価格が何倍にもなるということがあれば、それはさらなる喜びをあなたに与えてくれるでしょう。

現代の日本には大勢のアーティストが活動しています。彼らは五〇年後、一〇〇年後に二〇〇〇年代前半の日本の文化を支えた人々であると言われるようになるでしょう。そんな彼らが生きていくためには、アートに興味がある日本人の支援が不可欠です。今からでも遅くはないので、ぜひこの本を読んでいる方々にも参入していただきたいものです。

おわりに

美術がわかると世界がわかる

「私には感性がないので美術のことが全然わからないんです」

この本はこの言葉からはじまりました。こんなに長々と文章を書いて、伝えたかったのは感性の磨き方ではありません。ですから、残念ながらあなたの「感性」は、こんなに面倒な文章を時間をかけて読んだのに、全く向上していないと思われます。その点については申しわけありません。

この本を書いた理由は、現代の日本で芸術を知りたい人がぶつかる壁が、なぜ存在するのかを説明することでした。大学で教えていると、学生が学ぶ意欲・取り組む意欲が湧かない原因に、それをする理由や意味がわからないということがあります。

芸術に限らず、かつての教育現場とは「偉い先生が言っていることだからよくわからないけれど役に立つはず」という理屈が通じる場所でした。人口が多く貧しい日本という国では、人よりも早く、半歩でも先に進むことが人生の幸せの量を左右しました。生きるために必死な人がとても多い国でした。しかし、現代は違います。四年間大学で真面目に授業を受けていれば、ほとんどの学生はまともな仕事に就くことができます。その原因は、彼ら・彼女らがかつてよりも優秀になったということではなく、若者の数が減ったからです。

数に限りのない選択肢がある令和の学生が、意味もわからず、お金にもならない芸術や文化の世界に積極的にかかわろうとしてくれるかどうか。答えはＮＯです。試験に通って、免許をもらう勉強とは違うのです。そんなものに時間を投資してもらうためには、少なくともなぜ芸術が存在し、それを学ぶと人生がどう変化するのかを、最初に知ってもらわなければなりません。それが、これまでの芸術文化の伝え方に大きく欠けていたことです。

この本では、できるだけ簡単な言葉で、日本の美術が生まれた理由、日本の美術館の解説が難しい理由、日本の文化の敷居が高い理由など芸術を難しくしている多くの理由を説明しようと努力してみました。その理由のはじまりの多くは、日本が初めて世界に出て、「我々は日本人だ」と言わなければいけなくなった明治時代にありました。私たちの祖先（と言っても、たった一四〇年～一六〇年くらい前の話ですが）は外国からどう見られたいかを考え、あるべき日本の文化芸術のかたちを作ってきました。実際はほとんどの文化が中国文化のコピーなのに、それを「日本固有」と言い張り、世界に誇る文化大国になって日本を守ろうとしました。その結果が、日本人が漠然と持っている「文化大国ニッポン」というイメージです。

しかし、このイメージは作られたものなので、捨てようと思えば、簡単に消えてなくなるものでもあります。実際、伝統的と説明される美術や工芸といった世界は風前の灯です。それらを皆さんが「もう現代の日本人には必要ない」とおっしゃるのであれば、それは仕方のないことです。時代遅れのものだから捨てることを選ぶのであれば、私も含めた専門家はその決定に従います。しかし、もしも皆さんが「文化大国ニッポン」を信じておられて、そのよりどころとなっている素材・作品・人・知識が消えてなくなろうとしていることや、その理由を「知らない」のであれば、まずは知っていただき、それから判断してほしいと願うのです。

どんな情報もインターネットで簡単に手に入る昨今、本を読む人はどんどん減っていると言われます。こんな面倒な本を読もうとする人々はなおさらです。だから、この本を読んでいるあなたは間違いなくこの国のエリートであり、本を読むという文化を担う人です。

私の仕事は、あなたのような方に文化芸術を知っていただくことだと信じています。そのために、「芸術の世界の人間はみんな知っているのにわざわざ言わないこと」を書いてみました。差別の話やお金の話、欧米に対する日本人の劣等感の話。そのどれもが、日本の社会を構成している部品です。文化がわかると世の中がわかる。それを、少しでも実感してくだされば、この本を書いた意味があったというものです。長々とお付き合いいただき、本当にありがとうございました。

主要参考文献

【単行本・論文】

彬子女王「標本から美術へ——十九世紀の日本美術品蒐集、特にアンダーソン・コレクションの意義について」『國華』114(7) 2009年2月、p.28-39

朝日新聞社大阪本社社史編集室編『村山竜平伝』朝日新聞社、1953年

伊藤真実子『明治日本と万国博覧会』吉川弘文館、2008年

石上阿希『日本の春画・艶本研究』平凡社、2015年

岩田澄子『天目茶碗と日中茶文化研究：中国からの伝播と日本での展開』宮帯出版社、2016年

宇佐美省吾『耳庵先生風流譚』東洋経済新報社、1961年

大蔵省財政史室編『昭和財政史：終戦から講和まで』東洋経済新報社、1976-1984年

小田部雄次『家宝の行方：美術品が語る名家の明治・大正・昭和』小学館、2004年

熊倉功夫、姚国坤編『栄西『喫茶養生記』の研究（世界茶文化学術研究叢書：2）』宮帯出版社、2014年

熊倉功夫『熊倉功夫著作集 第4巻』思文閣出版、2017年

ウィリアム・D.グランプ『名画の経済学：美術市場を支配する経済原理』ダイヤモンド社、1991年

慶應義塾編『福沢諭吉全集』岩波書店、1958-1964年

佐藤道信『明治国家と近代美術：美の政治学』吉川弘文館、1999年

佐藤道信『美術のアイデンティティー：誰のために、何のために（シリーズ近代美術のゆくえ）』吉川弘文館、2007年

実藤恵秀『明治日支文化交渉』光風館、1943年

白倉敬彦『絵入春画艶本目録』平凡社、2007年

白倉敬彦、早川聞多ほか『浮世絵春画を読む』上、下巻、中央公論新社、2000年

瀬木慎一『名画の値段——もう一つの日本美術史』新潮社、1998年

瀬木慎一『日本美術事件簿』二玄社、2001年

高橋義雄『近世道具移動史』慶文堂書店、1929年

高橋義雄『昭和茶道記』慶文堂書店、1929年

竹本千鶴『織豊期の茶会と政治』2006年、思文閣出版

田中日佐夫『美術品移動史——近代日本のコレクターたち——』日本経済新聞社、1981年

田能村直入『青湾茶会図録』河内屋吉兵衛他、1863年

辻惟雄『日本美術の歴史』東京大学出版会、2005年

帝室博物館編『稿本日本帝国美術略史』農商務省、1901年

冨田昇『流転清朝秘宝』日本放送出版協会、2002年

中山太郎『日本巫女史』大岡山書店、1930年

並木誠士監修『すぐわかる日本の伝統文様：名品で楽しむ文様の文化』東京美術、2006年

林美一『江戸艶本集成』全13巻・別巻1、河出書房新社、2011-2014年

林美一『浮世絵の極み 春画』新潮社、1988年
藤本實也『原三溪翁伝』思文閣出版、2009年
藤原隆男『明治前期日本の技術伝習と移転：ウィーン万国博覧会の研究』丸善出版、2016年
船山信次『毒と薬の文化史 = A Cultural History of Poisons and Medicines：サプリメント・医薬品から危険ドラッグまで』慶應大学出版会、2017年
前崎信也、山本真紗子編『Made in Japan：日本の匠』IBCパブリッシング、2018年
益田孝『自叙益田孝翁伝』長井実、1939年
真清水蔵六『古今京窯泥中閑話』永沢金港堂、1935年
松田延夫『益田鈍翁をめぐる9人の数寄者たち』里文出版、2002年
松永しのぶ「違式詿違条例と外国人への「御体裁」――裸体といれずみの禁止を巡って」文化資源学会編『文化資源学』(9) 2010年、p. 55-66
三上美和『原三溪と日本近代美術』国書刊行会、2017年
宮脇淳子『世界史のなかの蒙古襲来 モンゴルから見た高麗と日本』扶桑社、2019年
山本ゆかり『春画を旅する』柏書房、2015年
冷泉為人監修『寛永文化のネットワーク：『隔蓂記』の世界』思文閣出版、1998年
エドワード・モース著、石川欣一訳『日本その日その日』創元社、1939年
タウンゼント・ハリス著、マリオ・E. コセンザ編、坂田精一訳『日本滞在記 上・中・下』岩波書店、1953年
アンガス・ロッキャー「戦後日本における商品としてのゴルフ」ペネロペ・フランクス、ジャネット・ハンター編『歴史のなかの消費者』法政大学出版局、2016年、p. 316-334
ノーマン・ワデル著、樋口章信訳『売茶翁の生涯 = The Life of Baisao』思文閣出版、2016年

【展覧会図録】

愛知県陶磁美術館学芸課編『煎茶 = Sencha：山本梅逸と尾張・三河の文人文化：企画展』愛知県陶磁美術館、2016年
出光美術館編『蒐集家・出光佐三のこころ：出光コレクション誕生一〇〇周年』出光美術館、2004年
出光美術館編『六古窯 = Roku koyō：〈和〉のやきもの』出光美術館、2019年
永青文庫、春画展日本開催実行委員会 編『春画展=SHUNGA』春画展日本開催実行委員、2016年
逸翁美術館編『茶の湯文化と小林一三』逸翁美術館、2009年
板橋区立郷土資料館編『長崎唐人貿易と煎茶道：中国風煎茶の導入とその派生』板橋区立郷土資料館、1996年
大阪市立東洋陶磁美術館編『国際交流特別展「北宋汝窯青磁――考古発掘成果展」図録』大阪市美術振興協会、2009年
大阪歴史博物館編『木村蒹葭堂：なにわ知の巨人：特別展没後200年記念』思文閣出版、2003年
京都国立近代美術館編『明治150年展 = The 150th anniversary of the Meiji period：明治の日本画と工芸』京都国立近代美術館、2018年

京都国立博物館編『伊藤若冲：生誕三〇〇年：特集陳列』京都国立博物館、２０１６年
京都国立博物館、毎日新聞社編『国宝：京都国立博物館開館１２０周年記念特別展覧会』毎日新聞社、２０１７年
鷺珠江監修『没後50年河井寛次郎 = Kawai Kanjiro：過去が咲いてゐる今、未来の蕾で一杯な今：２０１６−18』毎日新聞社、２０１６年
サントリー美術館編『近代美術の巨人たち：帝室技芸員の世界 開館三十五周年記念展4』サントリー美術館、１９９６年
辻惟雄監修『若冲が来てくれました = Jakuchu's here!：プライスコレクション：江戸絵画の美と生命：東日本大震災復興支援』日本経済新聞社、２０１３年
東京国立博物館他編『世紀の祭典万国博覧会の美術：パリ・ウィーン・シカゴ万博に見る東西の名品』ＮＨＫ、２００４年
東京国立博物館、毎日新聞社、ＮＨＫ、ＮＨＫプロモーション編『書聖王羲之 = Wang Xizhi: master calligrapher：特別展』毎日新聞社、２０１３年
東京国立博物館、ＮＨＫ、ＮＨＫプロモーション、毎日新聞社編『茶の湯 = Chanoyu：特別展』ＮＨＫ、２０１７年
東京新聞、中日新聞編『日本の陶磁展：ボストン美術館所蔵モースコレクション』東京新聞、１９８０年
仲野泰裕監修『文人趣味と煎茶 = Literati taste and sencha：木村定三コレクション』愛知県美術館、２０１８年
西林昭一総監修『北京故宮書の名宝展：江戸東京博物館開館十五周年記念特別展』毎日新聞社、２０２０年
根津美術館学芸部編『根津青山の至宝 = Preserving heritage: the Nezu collection：初代根津嘉一郎コレクションの軌跡：財団創立75周年記念特別展』根津美術館、２０１５年
阪急文化財団編『東西数寄者の審美眼：阪急・小林一三と東急・五島慶太のコレクション』阪急文化財団、２０１８年
Timothy Clark, et al. eds., Shunga: sex and pleasure in Japanese art, 2013, the British Museum Press（日本語版２０１６年）
東京国立博物館、京都国立博物館、毎日新聞社編『没後４００年特別展「長谷川等伯」』毎日新聞社、２０１０年
横浜美術館企画・監修『原三溪の美術 = HARA SANKEI COLLECTION：伝説の大コレクション』求龍堂、２０１９年

【定期刊行物】

『東京人（特集 美術館をつくった富豪たち）』25（5）（通号２８０）２０１０年4月号
『ユリイカ（２０１６年1月臨時増刊号総特集春画 ＳＨＵＮＧＡ）』47(20)、２０１６年1月号
『美術手帖（特集 世界のアートマーケット）』２０１２年1月号

【洋書】

M. de Brunoff, 1900, Histoire de l'art du Japon / ouvrage publié par la Commission impériale du Japon à l'Exposition universelle de Paris, 1900

あとがき

本書のカバーの絵について説明するのを忘れていました。歌川国芳という浮世絵師の作品なのですが、金魚の意味がポイントです。中国語で「魚」は「余」という語と同じ発音。というわけで、「金魚」は「金が余る」という意味があります。この本がいろいろな意味で「金魚」のように皆さんにとって、なにかのプラスになる本になれば幸いです。

一般向けの講演をした後に「今日のお話について書いた本はないのですか」と言われることが多くなり、わかりやすい言葉でまとめた本を作りたいと思っていました。ロンドンで学んでいたころから考えると10年以上の月日が流れました。その間に知り合った方々からいただいたヒントがこの本の各章に生かされています。あまりにもお世話になった方が多すぎて、一人一人のお名前を挙げることはできませんが、皆様に心から感謝申し上げます。

最後になりましたが、大学での日々の業務に忙殺される私の文章を辛抱強く待っていただいたIBCパブリッシングの浦晋亮氏、妻として研究者として執筆を支えてくれた山本真紗子先生には本当にお世話になりました。ありがとうございました。

前﨑信也

［カバーに使用した絵］

歌川国芳《金魚づくし　百ものがたり》
東京国立博物館蔵

Image: TNM Image Archives

歌川国芳《金魚づくし　さらいとんび》
東京国立博物館蔵

Image: TNM Image Archives

アートがわかると世の中が見えてくる

2021年2月5日　第1刷発行

著　者　前崎　信也

発行者　浦　晋亮

発行所　IBCパブリッシング株式会社
〒162−0804
東京都新宿区中里町29番3号
菱秀神楽坂ビル9階
www.ibcpub.co.jp

印　刷　株式会社シナノパブリッシングプレス

Printed in Japan
ISBN 978-4-7946-0649-5